ELExprés

Curso intensivo de español

Raquel Pinilla
Alicia San Mateo

SGEL

Primera edición, 2008
Cuarta edición, 2012 (revisada)

Produce: SGEL – Educación
Avda. Valdelaparra, 29
28108 ALCOBENDAS

Texto: Raquel Pinilla
        Alicia San Mateo
Ilustraciones: Miguel Can
Fotografías: Archivo SGEL
        Cordon Press
        Getty Images
        Firofoto
Grabación: Crab Ediciones Musicales, S. A.

Diseño de interiores: Text eXpert Treatment S. L.
Maquetación: GRUPO AMARILLO DE DISEÑO S. L.
Impresión: Orymu, S. A.

ISBN: 978-84-9778-418-4
Depósito legal: M-1586-2012
Printed in Spain – Impreso en España

Presentación

ELExprés es un curso intensivo de español destinado a estudiantes adultos que desean progresar rápidamente.

Su metodología se inspira en un minucioso análisis de las necesidades de comunicación de los estudiantes y las actividades propuestas han sido elaboradas para que el alumno progrese de una manera gradual y ordenada y se sienta cada vez más seguro en el uso y dominio del español. Por ello, *ELExprés* propone el trabajo con las diferentes destrezas a través de una amplia tipología de actividades de comprensión, expresión e interacción orales y escritas, así como la integración de los aspectos funcionales, gramaticales, léxicos, discursivos y culturales de la lengua.

ELExprés consta de 27 unidades que conducen al alumno desde un nivel de principiante absoluto hasta un dominio de nivel B1 (usuario independiente) conforme a los niveles del Marco Común Europeo de Referencia. Las 15 primeras unidades corresponden a los niveles A1 y A2, y las unidades 16–27 al nivel B1.

Las primeras 15 unidades (A1 + A2) constan de 4 páginas. En ellas el alumno avanza con rapidez y, como ocurre en los primeros niveles, se produce un aprendizaje acelerado. Las 12 unidades siguientes (B1) son más extensas (constan de 6 páginas), porque tanto los textos de comprensión auditiva como lectora son más amplios y se requiere un mayor número de actividades para fijar los contenidos. Además, se ha calculado un número de horas similar para el nivel A (A1 + A2) y para el B1.

Cada 4 unidades hay una unidad de repaso y seguimiento del progreso realizado en ese bloque, para que así el estudiante sea consciente de sus logros y, en caso necesario, vuelva sobre aquellos contenidos trabajados, pero no consolidados.

Los repasos del nivel A (A1 + A2) tienen, además, una hoja de autoevaluación, mientras que en el nivel B1 hay una autoevaluación al final de cada unidad.

TABLA DE CONTENIDOS

TABLA DE CONTENIDOS

TABLA DE CONTENIDOS

TABLA DE CONTENIDOS

TABLA DE CONTENIDOS

ELExprés

Antes de empezar

EL ABECEDARIO ESPAÑOL

1  Escucha el abecedario y las palabras.*

a, A (a)
avión

b, B (be)
barco

c, C (ce)
casa

ch, Ch (che)
chaqueta

d, D (de)
dedo

e, E (e)
España

f, F (efe)
foto

g, G (ge)
gato

h, H (hache)
huevo

i, I (i)
isla

j, J (jota)
jirafa

k, K (ka)
koala

l, L (ele)
libro

ll, Ll (elle)
llave

m, M (eme)
mano

n, N (ene)
nube

ñ, Ñ (eñe)
niño

o, O (o)
ojo

p, P (pe)
pato

q, Q (cu)
queso

r, R (erre)
ratón

s, S (ese)
Sol

t, T (te)
taza

u, U (u)
uvas

v, V (uve)
vaca

w, W (uve doble)
waterpolo

x, X (equis)
taxi

y, Y (i griega)
yogur

z, Z (zeta)
zorro

En Hispanoamérica: b = be alta, be larga o be grande,
v = ve, ve baja, ve corta o ve chica, w = ve doble, doble ve o doble u.

*Ch y ll no forman parte del abecedario, pero son combinaciones de letras con nombre propio.

2 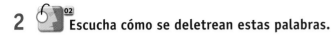 Escucha cómo se deletrean estas palabras.

g-a-t-o

_____

_____

_____

_____

_____

_____

_____

3 De dos en dos. ¿Qué palabras sabes en español? Pregunta a tu compañero.

> Letra.

> ¿Cómo se deletrea _letra_?

ele-e-te-erre-a

4 De dos en dos. Piensa en una palabra y descoloca las letras. ¿Cuál es?

la ele, la o, la i, la ka

kilo

5  Escucha estas expresiones para comunicarte en clase. ¡Son muy útiles!

 Más despacio, por favor.

 Más alto, por favor.

 ¿Qué significa...?

 ¿Cómo se dice ... en español?

 ¿Cómo se deletrea?

 ¿Cómo se escribe, con be o con uve?

 No entiendo, ¿puedes repetir, por favor?

 ¿Cómo? Otra vez, por favor.

 No me acuerdo, lo siento.

 Sí, creo que es...

6 ¿Qué expresiones puedes usar cuando...

a. no sabes si es unidad o *hunidad
b. te hablan rápido
c. no sabes el significado de una palabra
d. necesitas saber todas las letras
e. te hablan bajo
f. no recuerdas algo

CONOCEMOS EL LIBRO

7 Relaciona las palabras con los iconos correspondientes.

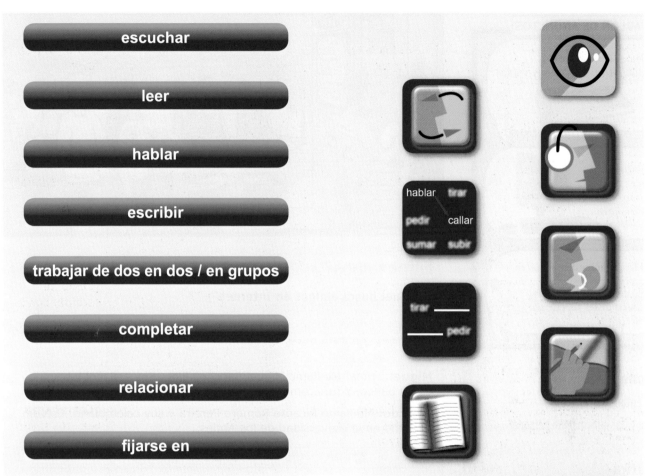

escuchar

leer

hablar

escribir

trabajar de dos en dos / en grupos

completar

relacionar

fijarse en

Este es mi libro de español, se llama *Elexprés*.

Raquel Pinilla
Alicia San Mateo

Curso intensivo
de español A1 - A2 - B1

CD incluido

ELExprés

SOCIEDAD GENERAL ESPAÑOLA DE LIBRERÍA, S.A.

SGEL

1

En el cibercafé

Ana: ¿Cómo se escribe?
Hilde: H-I-L-D-E O-K-S-A-V-I-K.

Hilde: ¿Qué significa "ordenador"?
Ana: Computer.

Hilde: ¿Cómo se dice *e-mail* en español?
Ana: Correo electrónico.
Hilde: ¿Puedes repetir, por favor?

Funciones

▶ Presentarse y saludar
▶ Pedir y dar información personal

Gramática

▶ El artículo determinado
▶ El artículo indeterminado
▶ Presente de indicativo de los verbos regulares terminados en -ar
▶ El sustantivo: formación del plural
▶ Verbos *llamarse* y *ser* (singular)
▶ Tú / Usted

Léxico

▶ Países y nacionalidades
▶ Lenguas
▶ El español en Internet

Cultura

▶ Información personal

¿Empezamos?

Miguel busca amigos en Internet

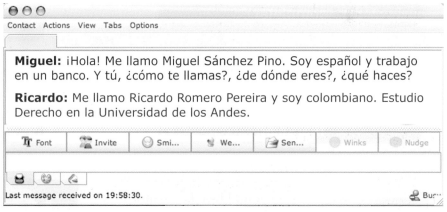

Contact   Actions   View   Tabs   Options

Miguel: ¡Hola! Me llamo Miguel Sánchez Pino. Soy español y trabajo en un banco. Y tú, ¿cómo te llamas?, ¿de dónde eres?, ¿qué haces?

Ricardo: Me llamo Ricardo Romero Pereira y soy colombiano. Estudio Derecho en la Universidad de los Andes.

Tf Font   Invite   Smi...   We...   Sen...   Winks   Nudge

Last message received on 19:58:30.

 04 Necesito un ordenador

Hilde: Hola, buenos días. Necesito un ordenador para mandar un *e-mail*.
Ana: Muy bien. ¿Cómo se llama usted?
Hilde: Hilde Oksavik.
Ana: Perdón, ¿cómo se escribe?
Hilde: H-I-L-D-E O-K-S-A-V-I-K.

 04 Te presento a Ana

Pablo: Birgit, te presento a Ana, una empleada del cibercafé.
Birgit: Hola, ¿qué tal?
Ana: Encantada. ¿Hablas español, Birgit?
Birgit: Un poquito, no mucho.
Ana: ¿Y de dónde eres?
Birgit: Soy alemana, de Berlín.

¿Está claro?

1 **Completa los diálogos.**

Ricardo: ¿ _____ ?

Carlo: Me llamo Carlo Ponte.

Ricardo: ¿ _____ ?

Carlo: Soy de Italia.

Ricardo: ¿ _____ ?

Carlo: Estudio Informática.

2 **¿Encantado o encantada? Relaciona.**

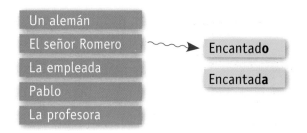

Un alemán
El señor Romero
La empleada
Pablo
La profesora

Encantad**o**
Encantad**a**

3 🎧 05 **Escucha y relaciona con una expresión del tablón de anuncios.**

A

J-O-R-G-E

B

C

4 **Fíjate en los diálogos y relaciona.**

el/un
la/una
los/unos
las/unas

universidad
correos electrónicos
computadoras
banco
empleada
ordenador

EL NOMBRE		
	🧍	🧍🧍🧍
Vocal + -s ♂	_____	diccionarios
♀	_____	_____
Consonante ♂	profesor	_____
+ -es ♀	_____	universidades

Normalmente, los nombres que terminan en **-o** son _____ (excepciones, *la mano, la foto*) y los que terminan en **-a** son _____ (excepciones, *el problema, el idioma*).

Los nombres que terminan en **-e** pueden ser _____ o _____ : *el cheque, la calle*; y, a veces, invariables: *el/la estudiante*. El plural de *vez* es *veces* y el de *lápiz* es _____ .

5 **Ahora completa estas tablas:**

EL ARTÍCULO DETERMINADO	
	🧍 🧍🧍🧍
♂	**el** banco **los** _____
♀	**la** _____ **las** computadoras

EL ARTÍCULO INDETERMINADO	
	🧍 🧍🧍🧍
♂	___ **unos** ordenadores
♀	**una** _____ _____

1 📻 06 **Escucha los diálogos y completa las oraciones.**

Me llamo _____.
Soy _____. Trabajo
en un _____.

Me llamo _____
García. _____ de
Argentina. Estudio
_____.

Me llamo Marta _____.
Soy de _____.
_____ _____.

INFORMAL	FORMAL
tú	usted
¿De dónde eres?	¿Cómo se llama (usted)?

Para pedir y dar información personal, utilizamos estos verbos: *llamarse, ser, trabajar* y *estudiar*.

PRESENTE DE INDICATIVO:

	llamarse	estudiar
(yo)	**me** llam**o**	estudio
(tú)	**te** llam**as**	estudias
(él/ella, Vd.)	**se** llam**a**	estudia
(nosotros/as)	**nos** llam**amos**	estudiamos
(vosotros/as)	**os** llam**áis**	estudiáis
(ellos/as, Vds.)	**se** llam**an**	estudian

	ser	trabajar
(yo)	soy	trabajo
(tú)	eres	trabajas
(él/ella, Vd.)	es	trabaja
(nosotros/as)	somos	trabajamos
(vosotros/as)	sois	trabajáis
(ellos/as, Vds.)	son	trabajan

2 **¿De dónde es? Relaciona y completa.**

1. El tango es argentino.
2. Ronaldo ___ _____.
3. Don Quijote ___ _____.
4. La Patagonia ___ _____.

A  *B*  *C*  *D*

3 **Mira las postales y habla con tu compañero.**

La Torre de Pisa es italiana.

La Estatua de la Libertad

La Torre de Pisa

La Torre Eiffel

El Big Ben

El Machu Pichu

4 📻 07 **¿De dónde es? ¿Qué idiomas habla? Escucha y completa el diálogo.**

Jean es _____ y habla _____.
Rocío es _____ y habla _____.
Isabel es _____ y habla _____.
Michiko es _____ y habla _____.

5 **Pregunta a tus compañeros qué lenguas hablan.**

inglés portugués
alemán sueco
español japonés
árabe italiano
chino noruego
griego

6 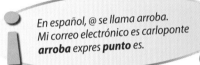 Imagina que trabajas en un cibercafé, como Ana. Pregúntale a tu compañero sus datos personales para hacerle el carné.

Cibercafé EXPRÉS

C/ Roselló, 127
08029 Barcelona
Tel.: 93 433 43 44

Nombre y apellidos _____

País de origen _____

Nacionalidad _____

Correo electrónico/e-mail _____ @ _____

Estudios _____

Profesión _____

Después, preséntaselo a los demás compañeros.
Puedes empezar así: *Este/Esta es* _____.

En español, @ se llama arroba.
Mi correo electrónico es carloponte
arroba expres **punto** es.

En otras palabras

1 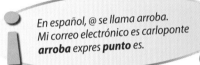 ¿Comprendes estas palabras? ¿Cómo se dicen en tu lengua? Relaciónalas con la imagen correspondiente.

Taxi
Zoo
Estación
Fútbol
Aeropuerto
Hotel
Teléfono
Televisión

Museo
Bar
Tenis
Metro
Restaurante
Diccionario
Radio

2 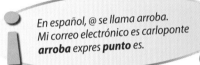 ¿Sabes más palabras en español? Habla con tu compañero.

2 Busco estudiante para compartir piso

Busco estudiante para compartir piso. Zona céntrica. Metro y autobuses. 400 euros. 91 254 78 35 Preguntar por Fernando.

¡Estudiantes! Alquilo habitación.
Tel.: 91 324 65 78
Zona Príncipe Pío
Preguntar por Sra. Blanco

¿Buscas más amigos?
C/ Senegal, 32

Para aprender bien español ¡Academia SUPER Ñ!
C/ Segovia, 26.
Tel.: 91 234 65 74

Vendo diccionario de latín. Pablo. 696 43 21 76.

¡Victoria, te quiero!

¡Míauuu!
Regalo un gatito y dos gatitas
Llamar a Marta (noches)
Tel.: 91 267 54 30

PROFESOR NATIVO con mucha experiencia.
Clases de alemán.
Gramática y conversación.
Me llamo Hans.
Tel.: 602 23 35 67
Hallo

¿Empezamos?

08 Busco piso para una amiga

Fernando: ¿Dígame?

Beatriz: Hola, buenas tardes, llamo por el anuncio del cibercafé. Tengo una amiga extranjera que busca un piso para compartir en Madrid. Ahora vive en Londres y llega el próximo mes para estudiar español.

Fernando: Sí, sí, claro. Tengo una habitación libre.

Beatriz: ¿Dónde está la casa?

Fernando: En la calle Luisa Fernanda, muy cerca de la calle Princesa y del metro de Ventura Rodríguez.

Beatriz: ¿Y cuál es el precio?

Fernando: 400 euros al mes.

08 En casa de Fernando

Fernando: Mira, esta es la habitación.

Beatriz: No es muy grande, ¿verdad?

Fernando: No, pero es muy tranquila y tiene mucha luz porque da a la calle.

Beatriz: Sí, es verdad. ¿Vives tú solo en la casa?

Fernando: No, somos tres: una chica ecuatoriana que es enfermera, un chico sevillano que es dependiente en una tienda de ropa y yo. Y tu amiga, ¿qué hace?

Beatriz: Es arquitecta, se llama Alice. Es estadounidense.

Funciones

▶ Hablar por teléfono
▶ Describir lugares
▶ Preguntar la edad
▶ Describir físicamente a las personas
▶ Comprender y redactar un anuncio

Gramática

▶ El adjetivo: género
▶ Presente de indicativo de los verbos regulares terminados en -er y en -ir
▶ Verbos ser (plural) y tener
▶ Contracciones del y al

Léxico

▶ Numerales del 0 al 20

Cultura

▶ Tipos de viviendas: variedades hispanoamericanas

¿Está claro?

1 Fíjate en la terminación de los verbos de los anuncios del tablón y de los diálogos, ¿a qué conjugación pertenecen?

1.ª: terminan en -AR: _____

_____

2.ª: terminan en -ER: _____

3.ª: terminan en -IR: _____

PRESENTE DE INDICATIVO: verbos regulares terminados en *-er* y en *-ir*

	aprender	vivir
(yo)	aprend**o**	viv**o**
(tú)	aprend**es**	viv**es**
(él/ella, Vd.)	aprend**e**	viv**e**
(nosotros/as)	aprend**emos**	viv**imos**
(vosotros/as)	aprend**éis**	viv**ís**
(ellos/as, Vds.)	aprend**en**	viv**en**

---

2 Lee los diálogos y completa.

1. Beatriz busca un piso para _____.
2. La amiga de Beatriz se llama _____.
3. Fernando alquila _____.
4. Beatriz cree que la habitación _____.
5. Fernando dice que la habitación _____.
6. En la casa _____.

PRESENTE DE INDICATIVO: verbo *tener*

(yo)	tengo
(tú)	**tie**nes
(él/ella, Vd.)	**tie**ne
(nosotros/as)	tenemos
(vosotros/as)	tenéis
(ellos/as, Vds.)	tienen

PRESENTE DE INDICATIVO: verbo *ser*

(yo)	soy
(tú)	eres
(él/ella, Vd.)	es
(nosotros/as)	somos
(vosotros/as)	sois
(ellos/as, Vds.)	son

---

3 Relaciona. ¿Qué combinaciones son posibles?

una habitación	nativo
un taxi	tranquilo
una zona	grande
un restaurante	céntrica
un profesor	libre

Las cosas claras

1 🎧 09 Escucha el diálogo entre Alice y el policía y completa la ficha con los datos de ella.

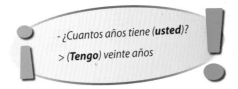

> SUBSECRETARIA
> GOBIERNO DE ESPAÑA MINISTERIO DEL INTERIOR DIRECCIÓN GENERAL DE POLÍTICA INTERIOR
>
> Apellidos: ....
> Nombre: ..Alice...
> Pasaporte: ....
> Sexo: ....
> Edad: ....
> Fecha de nacimiento: ....de ....de 1978
> Lugar de nacimiento: ..Eugene, Oregon...............
> Nacionalidad: ....
> Profesión: ....
> Dirección en España: C/ Luisa Fernanda, ..., 3º
> ....Beatriz Montero
> Teléfono de contacto: ....
>
> Fecha y firma:

- ¿Cuantos años tiene (**usted**)?

> (**Tengo**) veinte años

2 💬 Habla con tu compañero y haz una ficha con sus datos personales. ¡Seguro que te ayudan las siguientes expresiones!

¡Más alto, por favor!

¡Más despacio, por favor!

3 Escucha y completa esta conversación telefónica.

¡Estudiantes! Alquilo habitación.
Tel.: 91 324 65 78
Zona Príncipe Pío
Preguntar por Sra. Blanco

Sra. Blanco: ¿Diga?

Tú: Buenas noches, llamo por _____.

Sra. Blanco: Sí, sí.

Tú: ¿Dónde _____?

Sra. Blanco: En la Cuesta de San Vicente, muy cerca de la estación de Norte.

Tú: ¿_____?

Sra. Blanco: Claro, al lado de la estación de Príncipe Pío. También hay tren de cercanías y autobuses.

Tú: ¿_____?

Sra. Blanco: 450 euros al mes.

Tú: ¿Viven _____?

Sra. Blanco: Sí, una chica de Marruecos y un _____.

Tú: Me gustaría ver el piso...

contracciones	
de + el ➡ **del**	a + el ➡ **al**
Está cerca **del** metro	Son 400 euros **al** mes
Está cerca de la estación	Da **a la** calle

4 Lee los números y forma oraciones como en el ejemplo.

El número uno es alemán.

uno — dos — tres — cuatro — cinco — seis — siete — ocho — nueve — diez — cero — once — doce — trece — catorce — quince — dieciséis — diecisiete — dieciocho — diecinueve — veinte

5 ¿Quién es quién? Elige a una persona y descríbesela a tu compañero para que adivine quién es.

A

B

C

D

Para describir físicamente a una persona:

tiene lleva	gafas
	barba
	el pelo liso/rizado/corto/largo
es	alto/a – bajo/a
	guapo/a – feo/a
	rubio/a – moreno/a

El adjetivo concuerda en género y número con el nombre al que acompaña:

Omara Portuondo es cuban**a**.

Ibrahim Ferrer es cuban**o**.

Ibrahim y Omara son cuban**os**.

¡Ojo! Los adjetivos que terminan en **-e** y en **-í** son invariables para masculino y femenino:

*Montreal es una ciudad canadiens**e**.*
*Tánger es una ciudad marroqu**í**.*

6 Escribe un anuncio para el tablón de la clase.

IDIOMAS
aprender / enseñar

PISO
alquilar / buscar / compartir
vender / comprar

En otras palabras

1 Lee el siguiente texto y contesta a las preguntas.

TODOS HABLAMOS ESPAÑOL

VIVIENDAS PARA VIVIR

En España, una casa independiente con jardín se llama *chalé* o, más técnicamente, *vivienda unifamiliar* (casa para una sola familia). En algunas zonas turísticas españolas, en Argentina y en otros países hispanoamericanos se llama *bungalow*.

En las ciudades españolas, casi toda la gente vive en pisos, que son casas con más de una habitación o dormitorio, en edificios de más de una planta. Las casas con solo un dormitorio se llaman apartamentos. Un estudio es más pequeño: tiene cocina, cuarto de baño y salón dormitorio. En la actualidad, mucha gente vive en chalés adosados, en zonas residenciales alrededor de las ciudades. Los chalés adosados tienen vecinos a los lados, pero también un pequeño jardín.

En muchos países hispanoamericanos, los pisos se llaman *departamentos* o *apartamentos*. En Argentina, Perú y otros países hispanoamericanos, la habitación se llama *pieza*.

1 ¿Qué es un *bungalow*?

2 Ordena de mayor a menor:
  – un estudio
  – un piso
  – un apartamento

3 ¿Qué diferencias hay entre un *chalé* y un *chalé adosado*?

4 ¿A qué se llama *pieza* en Hispanoamérica?

¿Cómo se llaman?

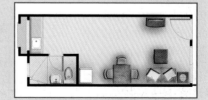

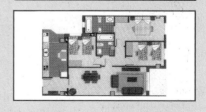

UNIDAD 3

No vivo lejos de aquí

¿Empezamos?

 11

Mi casa está muy lejos

Paula: Oye, ¿tú vives lejos de la universidad?
Michelle: ¡Uy! Mi casa está muy lejos. Tardo casi una hora en llegar. Tengo que coger dos autobuses y el metro. ¿Y tú?
Paula: No muy lejos, a unos diez minutos andando.
Michelle: ¡Qué suerte!

 11

¿Hay un cibercafé cerca de aquí?

Paula: Perdona, ¿hay un café con ordenadores cerca de aquí?
Ernesto: Sí, hay uno en la calle Reina Cristina. Tienes que coger la primera calle a la derecha y continúas recto hasta una plaza, donde está la estación de trenes. Cruzas la plaza y la primera calle a la izquierda, después de una farmacia. No es difícil llegar.

11

En la estación de Goya

Michelle: Por favor, ¿para ir a Metropolitano?
Emilio: Sí, tienes que coger la línea 4, en dirección a Parque de Santa María, hasta Avenida de América. Allí cambias a la línea 6, la Circular, y creo que hay cuatro o cinco estaciones hasta Metropolitano.
Michelle: Vale, gracias.

Funciones

▷ Pedir y dar direcciones
▷ Seguir y trazar un camino en un plano
▷ Preguntar y hablar de distancias
▷ Llamar la atención de alguien (tú/usted)
▷ Expresar obligación y opiniones

Gramática

▷ *Está(n)/Hay*
▷ Verbos *estar* + en e *ir* + *a*
▷ Verbo *tener que* + infinitivo
▷ Uso de los verbos *tardar* y *coger*
▷ Uso de *cuánto/a/os/as*

Léxico

▷ Numerales del 20 al 100
▷ Localización
▷ Muebles
▷ Tiendas

Cultura

▷ Plano del metro de Madrid

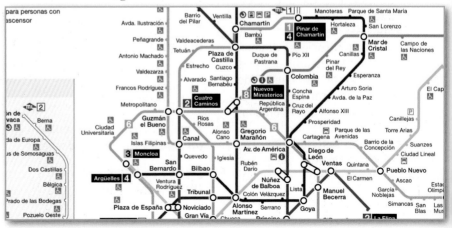

¿Está claro?

1 Completa estas oraciones.

Michelle coge _____ y _____ para ir a la Universidad. Vive muy _____ y tarda _____ en llegar.

Paula va _____ y _____ diez minutos, más o menos.

> ¿Cuánto tiempo **tardas** en llegar a tu casa?
> **Tardo** casi media hora.
> ¿Cuánta gente hay?
> ¿Cuántos noruegos hay en clase?
> ¿Cuántas líneas hay en el metro de Madrid

> Perdona/Perdone...
> Oye/Oiga...
> Mira/Mire...
> Por favor...

2 Mira el plano del metro y contesta a las preguntas.

1. ¿En qué línea está Goya?
   _____

2. ¿Cuántas estaciones hay desde Avenida de América hasta Metropolitano?
   _____

3. Estás en Avenida de América.¿Cómo vas a San Bernardo? ¿Y a Bilbao?
   _____

Las cosas claras

1 Pregunta a tu compañero y señala en el plano.

Alumno A: ¿Dónde está/hay...?

- la parada del autobús número 17 más cercana.
- el centro comercial *Marcial*.
- una farmacia.
- un cajero automático.

Estoy en..., ¿cómo voy a...?

- el Banco Par.
- la fotocopiadora *El copión*.

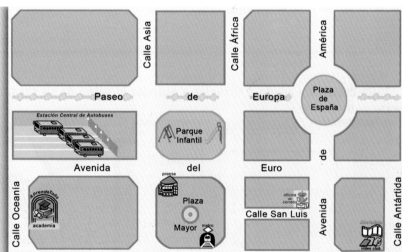

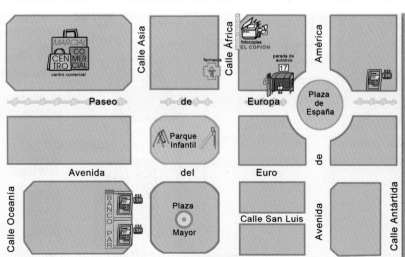

Alumno B: ¿Dónde está/hay...?

- la estación de metro de Plaza Mayor.
- el vídeo-club *Movietime*.
- un quiosco de prensa.

Estoy en..., ¿cómo voy a...?

- la oficina de Correos de la calle San Luis.
- la academia *Aprende todo*.

Para localizar lugares, utilizamos:

El Banco de España		en la plaza de Cibeles.
Mi casa	**está**	allí.
Mauro		en la plaza Mayor.
Los servicios	**están**	a la izquierda.

	estar
(yo)	estoy
(tú)	estás
(él/ella, Vd.)	está
(nosotros/as)	estamos
(vosotros/as)	estáis
(ellos/as, Vds.)	están

*Mi casa **está** muy lejos.*
*Ahora **estoy en** casa.*

Hay	un cibercafé cerca de aquí.
	muchos/pocos teatros en esta ciudad.
	cinco estaciones hasta Metropolitano.
	planos de metro ahí.

Para expresar obligación, utilizamos:

tener que + infinitivo

***Tengo que ir** a Metropolitano.*
***Tienes que coger** la primera calle a la derecha.*

	coger[1]
(yo)	cojo
(tú)	coges
(él, ella, Vd.)	coge
(nosotros/as)	cogemos
(vosotros/as)	cogéis
(ellos/as, Vds.)	cogen

[1] En Hispanoamérica, se utiliza el verbo *tomar*.

2 🔊 12 **Escucha y ayuda a Michelle a ordenar el salón de su casa.**

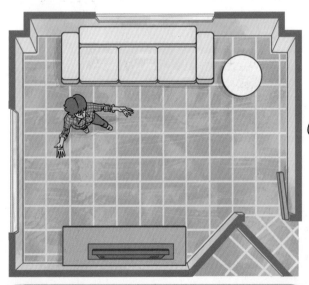

revistas

fotos

cuadros

mando a distancia

sofá

mesa de centro

estanterías

gafas

plantas

lamparita

lámpara de pie

teléfono

equipo de música

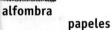
alfombra

papeles

cortinas

radiador

Para dar nuestra opinión, utilizamos:

Yo creo que...

A mí me parece que...

- cerca / lejos de
- al lado de
- enfrente de
- delante / detrás de
- encima / debajo de
- a la derecha / izquierda de
- entre... y...

Estamos en la calle de las compras.

3 ¿Adónde crees que van estas personas?

– Yo creo que el cartero va al número 22, a la panadería, para repartir el correo.
– A mí me parece que el estudiante _____
_____ los turistas _____
_____ el señor mayor _____

4 Relaciona estos objetos con las tiendas y locales correspondientes. ¿Qué otras cosas puedes comprar en estas tiendas? Pregúntale a tu compañero.

20 veinte		**30** treinta
21 veintiuno		**31** treinta y uno
22 veintidós		**32** treinta y dos
23 veintitrés		**40** cuarenta
24 veinticuatro		**50** cincuenta
25 veinticinco		**60** sesenta
26 veintiséis		**70** setenta
27 veintisiete		**80** ochenta
28 veintiocho		**90** noventa
29 veintinueve		**100** cien

ir	
(yo)	voy
(tú)	vas
(él/ella, Vd.)	va
(nosotros/as)	vamos
(vosotros/as)	vais
(ellos/as, Vds.)	van

*Paula **va a** la universidad andando.*

CUÉNTAME
Nos vamos a La Habana

1  Escribe un breve mensaje con tus datos personales para enviárselo al director de los cursos de español de la Universidad de La Habana donde vas a estudiar español.

No olvides incluir tu nombre, apellidos, domicilio, nacionalidad, edad, dónde trabajas o qué estudias, qué otras lenguas hablas o estudias...

2 Este es el folleto de los cursos de español. Léelo y subraya todos los adjetivos que encuentres.

ESPAÑOL EN LA HABANA

La capital de Cuba es una ciudad llena de coches de los años 50, edificios coloniales **preciosos** y un ambiente difícil de encontrar en cualquier otro lugar del mundo. Los cubanos son extremadamente hospitalarios y atentos y La Habana tiene también la ventaja de ser un sitio muy seguro para estudiantes de español en el extranjero. La Habana ofrece a los alumnos de nuestra escuela grandes oportunidades de hablar español con los nativos. Si quieres aprender español en el extranjero, La Habana es tu ciudad, completamente diferente al resto y, para la mayoría de sus visitantes, un lugar sencillamente encantador. La escuela tiene biblioteca, sala de ordenadores y cafetería. Las aulas están en una zona tranquila y céntrica, no muy lejos de La Habana Vieja.

La Universidad de La Habana en la web: **www.uh.cu**

3 Escribe los adjetivos al lado del nombre al que acompañan, junto con la forma singular.

_____   _____

_____   _____

_____   _____

4 ¿Verdadero o falso?

<table>
<tr><td></td><td align="center">V</td><td align="center">F</td></tr>
<tr><td>**1.** La capital de Cuba es Santiago de Cuba.</td><td>☐</td><td>☐</td></tr>
<tr><td>**2.** Los cubanos no son amables.</td><td>☐</td><td>☐</td></tr>
<tr><td>**3.** La Habana es similar a otras ciudades... ¡Te sentirás como en casa!</td><td>☐</td><td>☐</td></tr>
<tr><td>**4.** La escuela no está en el centro de la ciudad, sino en una zona residencial.</td><td>☐</td><td>☐</td></tr>
<tr><td>**5.** Podrás consultar tu correo electrónico y navegar por Internet en el cibercafé de la escuela.</td><td>☐</td><td>☐</td></tr>
</table>

5 Fíjate en la foto del folleto de la escuela de español y elige, con tu compañero, a un estudiante. Completa su ficha.

CURSO: _____
CURSO DE ESPAÑOL INICIAL
UNIVERSIDAD DE LA HABANA (CUBA)
Facultad de Lenguas Extranjeras
Avda. 19 de Mayo, 14

APELLIDOS: _____
NOMBRE: _____
DIRECCIÓN: _____
TELÉFONO: _____
CORREO ELECTRÓNICO: _____
PROFESIÓN: _____
ESTUDIOS: _____

Después, presentádselo al resto de los compañeros.

6 Aquí tenéis un plano de los alrededores de la facultad. Marca en el plano, donde tú quieras, los lugares que te correspondan.

ALUMNO A:
1. **Teatro Nacional**
2. **Museo Marítimo**
3. **Casa de José Martí**
4. **Hotel Nacional**
5. **Iglesia de San Francisco**

ALUMNO B:
1. **Hotel Cohiba**
2. **Parque Martí**
3. **Farmacia Sarra**
4. **Cementerio de Colón**
5. **El Che 1990 (monumento al Che Guevara)**

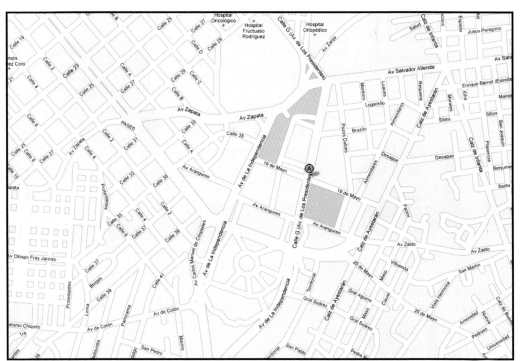

Ahora, pregúntale a tu compañero dónde están los sitios que él ha señalado en el mapa.

AUTOEVALUACIÓN

Contesta a estas preguntas. Después, compara tus respuestas con las de tu compañero.

1 ¿Cuál es tu dirección de correo electrónico?

2 ¿Qué hace un *cartero*?

3 Completa:

1. una _____ de autobús.

2. una _____ de metro.

4 ¿Qué idiomas hablas?

5 Escribe el contrario:

1. *cerca* / _____.

2. *delante* / _____.

3. *encima* / _____.

6 Elige la opción correcta:

En esta calle *hay* / *están* tres restaurantes.

7 Cuando alguien habla muy rápido, le dices:
_____.

8 ¿Qué es un *cibercafé*?

9 ¿Recuerdas el abecedario español?

10 ¿Cómo se dice *computer* en español?

11 Ordena de mayor a menor tamaño: *estudio* / *piso* / *apartamento*.

12 Las personas de Brasil se llaman _____.

13 ¿Cómo se escriben en español estos números: 5, 15 y 50?

14 ¿Recuerdas una palabra con *güi*?

15 Deletrea el nombre de tu ciudad.

16 Mañana por la tarde tengo que _____.

17 Para llamar la atención dices _____.

18 ¿Qué es un *chalé adosado*?

19 ¿Dónde trabaja una *enfermera*?

20 Cuando no entiendes algo, dices:
_____.

¿QUÉ SÉ HACER?

Señala todas las actividades que ya puedes hacer. Si no recuerdas alguna,
vuelve a la unidad de referencia y repásala.

COMPRENSIÓN ESCRITA

¿Qué sabes hacer...?

☐ Soy capaz de entender formularios (solicitud de inscripción) para proporcionar los datos más relevantes sobre mí mismo (1 y 2).

☐ Comprendo mensajes cortos y sencillos, por ejemplo, anuncios, tarjetas... (2).

☐ Entiendo letreros como *plaza, estación, calle, banco*, etc. (3).

☐ Soy capaz de comprender la información e interpretar los símbolos de, por ejemplo, el plano del metro (3).

COMPRENSIÓN AUDITIVA

¿Qué puedes entender...?

☐ Soy capaz de entender fórmulas como *Buenos días, Adiós, Gracias, Perdone*, etc. (1, 2 y 3).

☐ Comprendo preguntas breves e información sobre cuestiones personales básicas en conversaciones sencillas, como *¿Dónde vive?, Vivo en Berlín, ¿Cómo te llamas?*, etc. (1 y 2).

☐ Entiendo información básica sobre precios (2).

☐ Soy capaz de comprender indicaciones sencillas como *La segunda a la izquierda* (3).

EXPRESIÓN ORAL

¿Qué puedes expresar...?

☐ Soy capaz de decir que no entiendo algo, puedo pedir que alguien repita lo que ha dicho, que hable más despacio y que deletree una palabra o nombre propio (0 y 1).

☐ Puedo dar información personal (1 y 2).

☐ Soy capaz de describir el lugar donde vivo (2).

☐ Puedo localizar lugares en un plano (3).

☐ Soy capaz de expresar obligación y dar mi opinión sobre un tema sencillo (3).

INTERACCIÓN ORAL

¿Qué puedes hacer...?

☐ Puedo presentarme a mí mismo y a otros (1).

☐ Puedo saludar (1).

☐ Soy capaz de pedir y dar información personal (1 y 2).

☐ Puedo utilizar fórmulas como *Buenos días, Adiós, Gracias, Perdone*, etc. (1, 2 y 3).

☐ Soy capaz de expresar y preguntar un precio (2).

☐ Puedo pedir y dar direcciones (3).

EXPRESIÓN ESCRITA

¿Qué puedes hacer...?

☐ Soy capaz de rellenar un formulario con mis datos personales (1 y 2).

☐ Puedo escribir mensajes cortos y sencillos con información personal básica; por ejemplo, un anuncio (2).

Soy capaz de utilizar y comprender vocabulario sobre los siguientes temas:

☐ Países y nacionalidades (1 y 2).

☐ Profesiones (2).

☐ Tipos de viviendas y partes de la casa (2).

☐ Muebles (3).

☐ Tiendas (3).

UNIDAD **4**

¿Por qué no vamos los tres?

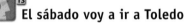

¿Empezamos?

🎧 13 El sábado voy a ir a Toledo

Kioko: Oye, el sábado que viene me dan el coche y voy a ir a Toledo. ¿Por qué no vamos los tres?

Mauro: ¿El sábado? Yo no puedo, voy a ir a Segovia con unos compañeros de la Embajada.

Kioko: ¡Qué pena! Y tú, Emma, ¿quieres venir?

Emma: No sé... El sábado por la mañana voy a descansar. No quiero levantarme pronto.

Kioko: Bueno, podemos salir sobre las doce, ¿vale?

🎧 13 ¿Qué hora es?

Mauro: Chicas, me voy, son las diez... Adiós.

Tres horas después...

Kioko: Emma, Emma, despierta, ¡vamos!

Emma: ¿Por qué? ¿Qué hora es? Tengo sueño...

Kioko: Muy tarde, es la una menos cuarto, no vamos a llegar nunca.

Emma: No, un poquito más, por favor, Kioko.

 El contestador de Rosana

- Hola, este es el contestador automático de Rosana. Ahora no estoy en casa, pero, si quieres, puedes dejar un mensaje después de la señal. Gracias.

- Rosana, soy Mauro. Mañana no puedo ir a clase de tenis porque voy a ayudar en la fiesta de la Embajada. Lo siento. Creo que Emma y Kioko sí pueden ir. Hablamos, ¿vale?

- Hola Rosana, soy Emma. Mira, son las cinco y tengo entradas para el concierto de esta noche en el auditorio, ¿vamos? Si puedes ir, llámame antes de las siete. Ciao.

Funciones
▶ Proponer un plan o hacer una invitación
▶ Aceptar y rechazar planes e invitaciones
▶ Expresar planes futuros
▶ Preguntar y hablar sobre las horas

Gramática
▶ Futuro de intención: *ir + a +* infinitivo
▶ Presente de indicativo de los verbos irregulares con cambio vocálico: *querer, poder* y *pedir*
▶ *Ir / irse*

Léxico
▶ Las horas
▶ Los días de la semana

Cultura
▶ Una ciudad monumental: Toledo

30 treinta

¿Está claro?

1  **Y tú, ¿qué crees? Habla con tu compañero.**

1. Mauro, Kioko y Emma van a hacer una excursión el sábado que viene.

2. Mauro se va de casa a las diez de la noche.

3. Emma y Kioko van a pasar todo el sábado de excursión.

4. Mauro va a jugar al tenis con Rosana.

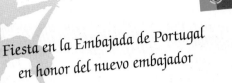

Fiesta en la Embajada de Portugal
en honor del nuevo embajador

Lunes, 10 de septiembre, a las 22 horas
C/ Lisboa, 8

¿**Vamos** al cine esta noche?

¡Me voy!
¡Hasta luego!

2 **¿Cómo se dice en los diálogos anteriores?**

- El próximo sábado: _____

- A eso de las doce: _____

- Tres horas después: _____

3 **Lee los diálogos y completa. ¿Crees que el verbo *poder* es regular?**

	poder
(yo)	
(tú)	
(él / ella, Vd.)	puede
(nosotros/as)	
(vosotros/as)	podéis
(ellos/as, Vds.)	

4 **Ahora conjuga el verbo *dormir*. Es igual que *poder*.**

o > ue

Las cosas claras

1 **Fíjate en cómo decimos la hora en español. ¡Es fácil!**

...en punto

...menos cinco

es la una

son las dos

...menos cuarto

...y cuarto

...menos veinte

...menos veinticinco

...y veinticinco

...y media

Es la una y veinte.   *Son las siete menos diez.*

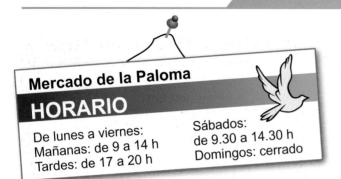

Mercado de la Paloma

HORARIO

De lunes a viernes:
Mañanas: de 9 a 14 h
Tardes: de 17 a 20 h

Sábados:
de 9.30 a 14.30 h
Domingos: cerrado

– ¿**A qué hora** abre el mercado de la Paloma entre semana?

> **A las nueve** de la mañana.

– ¿**A qué hora** cierra los sábados?

> A las **dos y media**, y no abre por la tarde.

Completa el diálogo.

– ¿A qué hora cierra entre semana el Mercado de la Paloma?

– _____

– _____

– A las cinco de la tarde.

2 Escucha los diálogos y mira las agendas de María, Carlos y Carmen.
¿De quién es cada una? ¿Qué día deciden ir a ver la exposición en el Guggenheim?

SEPTIEMBRE	
LUNES 17	15 h inglés
MARTES 18	15.45 h hospital
MIÉRCOLES 19	
JUEVES 20	
VIERNES 21	
SÁBADO 22	
DOMINGO 23	

SEPTIEMBRE

L 17	M hospital 18
Mi papeles banco 19	J biblioteca 20
V 21	S 22
D 23	

SEPTIEMBRE

Lunes 17	reunión universidad
Martes 18	16 h fútbol / 21.30 h concierto
Miércoles 19	biblioteca
Jueves 20	
Viernes 21	
Sábado 22	
Domingo 23	

3 Completa estas oraciones con el plan más adecuado.

1. Luis tiene fiebre, por eso... *va a ir al médico.*

2. Gema tiene la nevera vacía, por eso, ahora...

3. Pedro no tiene vacaciones este año...

4. María no encuentra un taxi libre...

5. Sam no entiende el ejercicio de español y por eso...

6. Los alumnos de inglés quieren aprobar el examen...

preguntar a su profesor
quedarse en casa
ir al médico
estudiar toda la tarde
comprar al mercado de la Paloma
coger el metro

Para expresar planes futuros, utilizamos: *ir + a + infinitivo*

(yo)	**voy**		
(tú)	**vas**		**ir** a Segovia el sábado.
(él/ella, Vd.)	**va**	a	
(nosotros/as)	**vamos**		**descansar.**
(vosotros/as)	**vais**		
(ellos/as, Vds.)	**van**		**jugar** al tenis esta tarde.

En español, es muy frecuente usar el presente con valor de futuro:

*El viernes **tengo** clase de tenis.*

¿Qué **haces** esta tarde?

4 ![icon] ![icon] **Escribe tu agenda para la próxima semana y habla con tu compañero. ¿Podéis hacer algo juntos? Llegad a un acuerdo.**

SEPTIEMBRE	
Lunes 17	
Martes 18	
Miércoles 19	
Jueves 20	
Viernes 21	
Sábado 22	
Domingo 23	

Para proponer planes o hacer una invitación:
¿Quieres/Puedes...? / ¿Por qué no...?
Para proponer planes alternativos:
¿Y qué tal el lunes/la próxima semana...?
Para aceptar: Sí, buena idea./Vale.
/De acuerdo./Claro.
Para rechazar: No puedo./Lo siento, es que.../
Gracias, pero.../Imposible.

PRESENTE DE INDICATIVO:
verbos irregulares con cambio vocálico.

	querer e>ie	**poder** o>ue	**pedir** e>i
(yo)	qu**ie**ro	p**ue**do	p**i**do
(tú)	qu**ie**res	p**ue**des	p**i**des
(él/ella, Vd.)	qu**ie**re	p**ue**de	p**i**de
(nosotros/as)	queremos	podemos	pedimos
(vosotros/as)	queréis	podéis	pedís
(ellos/as, Vds.)	qu**ie**ren	p**ue**den	p**i**den

*No **quiero llegar** tarde.*
***Podemos salir** a las doce.*

Tienen cambio vocálico:
- e>ie: c**e**rrar, com**e**nzar, emp**e**zar, ent**e**nder, p**e**nsar, pref**e**rir, s**e**ntir...
- o>ue: d**o**rmir, enc**o**ntrar, rec**o**rdar, v**o**lver...
- e>i: cons**e**guir, corr**e**gir, el**e**gir, rep**e**tir, s**e**guir, v**e**stir...

En otras palabras

¡NOS VAMOS DE EXCURSIÓN A TOLEDO!

Emma y Kioko van a ir de excursión a Toledo, una ciudad del centro de España famosa por su historia y sus monumentos. Toledo está al suroeste de Madrid, a unos 60 km y es la capital de la Comunidad Autónoma de Castilla-La Mancha.

Está situada sobre un monte, elevado 100 metros sobre el río Tajo, que rodea la ciudad. Tiene unos 75 000 habitantes.

Toledo es una de las grandes ciudades medievales de España, declarada Ciudad Patrimonio de la Humanidad por la Unesco. Su casco viejo ofrece al visitante monumentos que pertenecen a diferentes momentos de la historia y reflejan la diversidad cultural y lingüística a través de los siglos.

La arquitectura religiosa es una manifestación de las tres culturas: la grandiosa catedral gótica cristiana, las sinagogas judías del Tránsito (en la que se encuentra actualmente el Museo Sefardí, es decir, de la historia judía) y de Santa María la Blanca y la mezquita del Cristo de la Luz.

Entre la arquitectura civil, destaca el Alcázar, testigo vivo de nuestra reciente historia. Además, en Toledo están algunos de los cuadros más famosos del pintor Domenicos Theotocopulos, El Greco, como *El entierro del Conde de Orgaz*.

1 ![icon] **¿Qué van a hacer Emma y Kioko en Toledo? ¿Qué monumentos van a visitar? ¿Dónde van a comer?**

2 **En Internet puedes encontrar más información sobre Toledo. Contesta a estas preguntas.**

1. ¿Conoces otras Ciudades Patrimonio de la Humanidad en España? ¿Desde cuando lo es Toledo?

2. ¿Hay alguna webcam en Toledo? ¿Dónde está?

3. ¿Qué otros cuadros de El Greco puedes ver en Toledo?

Toledo en la web:
www.ayto-toledo.org
www.toledoweb.org
www.ciudadespatrimonio.org

5 Un día de mi vida

Nuevo mensaje

Enviar Adjuntar Agenda

Para:
Cc:
Asunto:

¡Hola Victoria!

¿Qué tal todo? Ésta es mi segunda semana en España. ¡14 días y soy casi una española más! Mira cómo son normalmente mis días. Me levanto sobre las ocho, me ducho y tomo un desayuno ligero y rápido: café con leche y galletas. A las nueve cojo el autobús y a las nueve y media, más o menos, llego a la universidad. Tengo clase de diez menos cuarto a dos. Suelo comer en la cafetería de la universidad y por la tarde voy a clase de español, de cuatro a seis. Luego, vuelvo a casa o voy de compras o al cine.

Ceno muy tarde, como muchos españoles, a las diez o diez y media y normalmente me acuesto sobre las doce.

Los fines de semana son diferentes. Salgo por la noche y suelo llegar a casa muy tarde ¡o muy pronto!, a las seis o las siete de la mañana. ¡Qué sueño! Entonces, me voy a dormir.

Y tú, ¿qué haces?, ¿cómo estás?

Un beso muy fuerte,

Kari.

suelo comer = normalmente como

suelo llegar = normalmente llego

Funciones

▶ Hablar de acciones cotidianas
▶ Expresar frecuencia
▶ Expresar simultaneidad de acciones con el momento actual

Gramática

▶ Presente de indicativo de los verbos reflexivos: *levantarse*
▶ Verbos reflexivos y con cambio vocálico: *despertarse, acostarse, vestirse*
▶ *Soler* + infinitivo
▶ Presente continuo: *estar* + gerundio
▶ Presente continuo de los verbos reflexivos

Léxico

▶ Acciones habituales

Cultura

▶ La radio de tu vida

¿Empezamos?

 15

¿Qué estás viendo?

Olga: ¡Hola Irene!, ¿qué estás viendo?

Irene: Un partido amistoso entre España y Suecia. Están jugando muy bien...

Olga: ¿Y Richard?

Irene: Está hablando por teléfono con su novia, en su habitación, ¡lleva tres cuartos de hora!

Olga: ¡Oh, Dios mío! Hoy no cenamos antes de las once.

¿Está claro?

1 ¿Qué tienen en común estos tres verbos? Intenta conjugar todas las personas.

me levanto / me ducho / me acuesto

levantarse **me levanto**	*ducharse* **me ducho**	*acostarse* **me acuesto**
se _____	_____	_____
nos _____	_____	_____
os _____	_____	_____
_____	_____	_____

2 ¿Cómo es un día normal de Kari?

1   2

Kari se levanta a las ocho. _____

3   4

_____

5   6

_____

3 ¿Qué está(n) haciendo?

_____
_____

_____
_____

Las cosas claras

1 🎧 **16** **Un detective está siguiendo a Pablo. Escucha y completa lo que está haciendo en cada momento del día. ¿A qué crees que se dedica?**

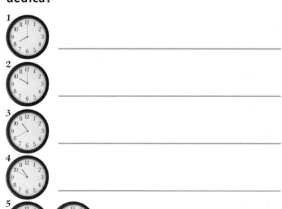

1 _____

2 _____

3 _____

4 _____

5 _____

Para expresar la simultaneidad de una acción con el momento actual, empleamos:
estar + gerundio

(yo)	estoy	
(tú)	estás	-ar > -ando: **jugando**
(él/ella, Vd.)	está	
(nosotros/as)	estamos	-er ⟩ -iendo: **viendo**
(vosotros/as)	estáis	
(ellos/as, Vds.)	están	-ir ⟩ **escribiendo**

dormir > durmiendo
leer > leyendo
vestirse > vistiéndose

Me estoy duchando
=
Estoy duchándo**me**

2 Pregunta a tu compañero y cuéntaselo al resto de la clase.

¿Qué haces normalmente...?

por la mañana

por la tarde

por la noche

3 Y para ti, ¿cómo es un día normal?, ¿qué haces? Cuéntaselo a un amigo en un correo electrónico.

PRESENTE DE INDICATIVO: verbos reflexivos

	levantarse
(yo)	**me** levanto
(tú)	**te** levantas
(él/ella, Vd.)	**se** levanta
(nosotros/as)	**nos** levantamos
(vosotros/as)	**os** levantáis
(ellos/as, Vds.)	**se** levantan

Son también verbos reflexivos: *bañarse, ducharse, lavarse, afeitarse, peinarse...*

verbos reflexivos con cambio vocálico

despertarse *e > ie*	acostarse *o > ue*	vestirse *e > i*
me desp**ie**rto	me ac**ue**sto	me v**i**sto
nos despertamos	nos acostamos	nos vestimos

Para expresar la frecuencia de una acción, utilizamos:

soler + infinitivo

(yo)	**suelo ver** la tele
(tú)	**sueles desayunar** tarde
(él/ella, Vd.)	**suele correr** por las mañanas
(nosotros/as)	**solemos levantarnos** a las siete
(vosotros/as)	**soléis ir** a clase andando
(ellos/as, Vds.)	**suelen acostarse** temprano

---

4 Piensa en diferentes actividades relacionadas con las imágenes y pregunta a tu compañero con qué frecuencia las realiza.

¡Estas expresiones pueden ayudarte!

¿Con qué frecuencia...?
¿(Cuándo) sueles...?
¿...normalmente...?

5 Aquí tienes dos fotos curiosas. Descríbelas. ¿De dónde son?
¿Quiénes son las personas que aparecen? ¿Qué están haciendo?

Busca una foto tuya, tráela a clase y preséntasela a tus compañeros.
Entre todos elegid la más curiosa, la más original, la más divertida y
la más difícil.

En otras palabras

Onda 10 está siempre a tu lado,
compartiendo tu día y tu noche, tu
trabajo y tu descanso.
Onda 10 va donde tú vas.
Onda 10 es tu mejor compañía.
Onda 10 es la radio de tu vida. Toda
tu vida pasa por *Onda 10*.

7:00
El mundo se despierta

10:00
Las mañanas de **Onda 10**

16:00
Así es la tarde

24:00
Hora deportiva

14:00
Todo noticias

20:00
La música de tu vida

1 ¿De qué trata cada programa?
¿Quién lo escucha? Coméntalo con tu
compañero. Elegid el que más os interese
y resumid en cinco líneas lo que habéis
hablado.

2 ¿Sueles escuchar la radio? ¿Qué clase de
programas? ¿Por qué?

6

Me gusta estar en familia

Esta es mi familia, en una foto reciente, en nuestra casa de Segovia. Estos son mi hermano y su mujer, Blanca; mis sobrinos, mis padres con mis hijos, y mi marido, Paco.

Raquel

¿Empezamos?

Funciones

▷ Expresar y preguntar sobre gustos y preferencias
▷ Expresar que se comparte o no la opinión de otro
▷ Señalar posesión
▷ Referirse a relaciones familiares
▷ Señalar e identificar personas, cosas y lugares

Gramática

▷ Verbo *gustar*
▷ Verbo *preferir*
▷ Los adjetivos posesivos
▷ Los adjetivos y los pronombres demostrativos

Léxico

▷ Gradación de la expresión de gustos y preferencias
▷ La familia

Cultura

▷ Los jóvenes españoles viven con sus padres

Me gustan los hoteles cómodos
Me gusta el silencio
Me gusta tener todo preparado cuando llego
Me gustan los hoteles que mejoran día a día
Me gusta encontrar gente amable
Me encanta la cadena NUEVOTEL

NUEVOTEL

500 hoteles por todo el mundo, cerca de usted.
Central de reservas: 900 009 900

me encanta =
me gusta mucho

¿Está claro?

1 Observa la foto de la familia. ¿Quién es Raquel? ¿Por qué crees que es ella?

Yo creo que Raquel es esta _____

_____

_____

_____

_____

_____

_____

2 Escucha y escribe el nombre de cada uno de los miembros de la familia.

3 Vuelve a leer el anuncio de los hoteles NUEVOTEL y fíjate en el verbo *gustar*. Relaciona las dos columnas.

Me gusta los hoteles cómodos
Me gusta el silencio
Me gusta tener todo preparado cuando llego
Me gustan los hoteles que mejoran día a día
Me gusta encontrar gente amable
Me encanta la cadena NUEVOTEL

NUEVOTEL

Me gusta
Me gustan

desayunar fuera del hotel

los hoteles modernos

la tranquilidad

los hoteles con piscina

vivir sin horarios

la calidad de NUEVOTEL

Para expresar nuestros gustos, empleamos los verbos *gustar* y *encantar*:

(A mí)	me		el cine
(A ti)	te	gusta	ir a exposiciones
(A él/ella, Vd.)	le		
(A nosotros/as)	nos		las películas de
(A vosotros/as)	os	gustan	miedo
(A ellos/as, Vds.)	les		

¿Te gusta tu ciudad?

Nos encanta pasear.

Les encantan los viajes al extranjero.

4 Y a ti, ¿qué te gusta? Pregúntale a tu compañero. Anótalo.

1  Escucha la encuesta que le están haciendo a Rubén, un chico venezolano. ¿Qué le gusta? ¿Y a ti?

preferir
e > ie
yo prefiero

2 Escribe en una tarjeta tus gustos. El profesor va a recogerlas y repartirlas entre todos. ¿De quién es la que te ha tocado? ¿Por qué?

3 En grupo. ¿Compartís estas opiniones? Pregúntales a tus compañeros y anótalo.

+++ Me encanta(n)...
++ Me gusta(n) mucho...
+ Me gusta(n)/Prefiero...
– No me gusta(n) mucho...
– – No me gusta(n) nada...

 No me gusta leer

 Me encantan los dulces

 Me gustan las películas románticas

 No me gusta levantarme pronto

Para expresar si compartimos o no los gustos y opiniones de otras personas, utilizamos:

Me gusta estudiar por la noche.

A mí también.

Pues a mí, no.

No me gustan las películas de acción.

A mí tampoco.

Pues a mí, sí.

4 Selecciona una foto de tu familia y tráela a clase. Cuéntale a tu compañero quién es cada persona y qué relación tienes con ella. Luego, él te presentará a su familia. Finalmente, explícale al resto de la clase cómo es la familia de tu compañero.

Estos son mis padres.

Este es mi abuelo.

Este es mi hermano.

Esta es mi abuela.

Esta es mi hermana.

Para referirnos a las relaciones de parentesco, utilizamos los adjetivos posesivos:

(de mí)	mi/mis
(de ti)	tu/tus
(de él/ella, de Vd.)	su/sus
(de nosotros/as)	nuestro/a/os/as
(de vosotros/as)	vuestro/a/os/as
(de ellos/as, de Vds.)	su/sus

Para señalar e identificar personas, cosas y lugares, empleamos los adjetivos y pronombres demostrativos:

singular		plural	
masculino	femenino	masculino	femenino
este	esta	estos	estas
ese	esa	esos	esas
aquel	aquella	aquellos	aquellas

Las formas neutras: *esto, eso* y *aquello* son siempre pronombres.

Esa chica es Raquel.
Aquel señor es mi abuelo.
Estos son sus primos.
¿Qué es esto?

En otras palabras

1 Lee el título del artículo. ¿De qué tema crees que va a tratar?

TENGO 32 AÑOS Y SOY MILEURISTA
PEDRO CHACÓN. 32 AÑOS. EMPLEADO DE UN BANCO

1 "Tengo 32 años, soy *mileurista*, es decir, gano unos 1000 euros al mes, aproximadamente, y vivo con mis padres". Muchos jóvenes españoles, y de
5 otros países como Italia y Japón, afirman tranquilos que vivir en casa de sus padres es como estar en un hotel, pero, además, gratis.

Pedro es licenciado en Económicas, tiene un máster y
10 habla inglés e italiano, trabaja en un banco en Granada y, de momento, no tiene planes de irse de casa. Su novia, Sonia, de 30 años, también *mileurista*, vive en un piso compartido con otras tres personas más. Pedro dice: "Tengo trabajo desde hace un año, pero sin contrato fijo.
15 No tengo suficiente dinero para una casa. Así no es fácil independizarse".

La madre de Pedro también opina: "Me gusta tener a mi hijo en casa, pero creo que está llegando el momento de *volar del nido*".

Los *mileuristas* en la web:
www.1000eurista.es
http://es.wikipedia.org/wiki/JASP
www.elpais.com/articulo/elpporopi/
20050821elpepiopi_3/Tes/Yo%20soy%20'mileurista'

2 Después de leer el texto, contesta a estas preguntas.

1. ¿Por qué Pedro vive todavía con sus padres?

2. ¿Cuál es tu primera impresión después de leer el texto? ¿Te resulta extraño lo que cuenta Pedro?

3. ¿Ocurre lo mismo en tu país? ¿Cuál es la situación de los jóvenes? Toma algunas notas y habla con tus compañeros.

4. ¿Qué crees que significa la expresión "volar del nido" en este contexto? ¿Hay alguna similar en tu lengua?

Toda una vida

Lady Di, Princesa de Gales

¿Empezamos?

Diana Frances Spencer nació el 1 de julio de 1961 en Sandringham, Norfolk, Reino Unido. Hija menor de los vizcondes de Althorp, perteneció a una de las familias más aristocráticas del país.

En 1967, con seis años, Diana vivió el divorcio de sus padres. Esto marcó profundamente su carácter. Estudió en Riddlesworth Hall (Norfolk) y en la escuela West Heath de Kent. Recibió clases de piano y de danza.

En 1979 empezó a salir con el hijo mayor de la reina Isabel II, el príncipe Carlos. Dos años más tarde, el 24 de febrero de 1981, anunciaron oficialmente su compromiso.

Diana y Carlos se casaron el 29 de julio de 1981 en Londres, en la Catedral de San Pablo.

En 1982 nació su primer hijo, el príncipe Guillermo, y en 1984, su segundo hijo, Enrique.

En diciembre de 1992, el Palacio de Buckingham anunció la separación entre Diana y Carlos. Diana se mudó y estableció su residencia en el Palacio de Kensington.

Funciones

➤ Referirse a acciones pasadas
➤ Señalar los datos de una biografía
➤ Formular preguntas

Gramática

➤ Pretérito indefinido de los verbos regulares
➤ La doble negación
➤ Los interrogativos

Léxico

➤ Acontecimientos en la vida de una persona
➤ Estados civiles
➤ Los meses y las estaciones del año
➤ Numerales del 100 al 2050

Cultura

➤ Una noticia de periódico

Los Príncipes de Gales se divorciaron el 28 de agosto de 1996. Diana perdió el tratamiento de "alteza real".

El 31 de agosto de 1997, Diana murió en un accidente de tráfico en París, en compañía de su pareja, el egipcio Dodi Al Fayed, hijo del dueño de los almacenes Harrods.

Diana de Gales en la web:

http://news.bbc.co.uk/hi/spanish/specials/2007/diana07

http://es.wikipedia.org/wiki/Diana_Spencer
www.biografiasyvidas.com/reportaje/diana_de_gales

¿Está claro?

1 En las biografías utilizamos un pasado llamado *pretérito indefinido*. Subraya todos los que hay en la biografía de Diana de Gales. ¿Se forman igual los de los verbos terminados en *-er* y en *-ir*?

> nació

2 Vuelve a leer la biografía de Diana de Gales y relaciona las dos columnas. Escribe una oración para cada año.

1967	separación
1981	nacimiento
1984	boda
1992	divorcio
1996	

*Los padres de Diana **se divorciaron** en 1967.*

_____
_____
_____

Para referirnos a acciones pasadas, utilizamos el pretérito indefinido:

	trabajar	perder	vivir
(yo)	trabaj**é**	perd**í**	viv**í**
(tú)	trabaj**aste**	perd**iste**	viv**iste**
(él/ella, Vd.)	trabaj**ó**	perd**ió**	viv**ió**
(nosotros/as)	trabaj**amos**	perd**imos**	viv**imos**
(vosotros/as)	trabaj**asteis**	perd**isteis**	viv**isteis**
(ellos/as, Vds.)	trabaj**aron**	perd**ieron**	viv**ieron**

3 Lee estas afirmaciones sobre la Princesa de Gales. ¿Son verdaderas o falsas?

V F

1. **Estudió** en colegios de Estados Unidos. ☐ ☐
2. **Trabajó** como profesora de música. ☐ ☐
3. **Ayudó** en distintas obras benéficas. ☐ ☐
4. **Recibió** unos 18 000 euros cuando **se divorció** del príncipe Carlos. ☐ ☐

¿Qué más sabes sobre ella? Puedes buscar en Internet.

4 Escucha la biografía y comprueba tus respuestas anteriores.

5 Fíjate en la biografía de Lady Di y completa los nombres de los meses del año. Después, relaciona.

1. enero
2. _____
3. marzo
4. abril
5. mayo
6. _____
7. _____
8. _____
9. septiembre
10. octubre
11. _____
12. _____

primavera

1	5	9
2	6	10
3	7	11
4	8	12

invierno **verano**

otoño

Las cosas claras

1 ¿Recuerdas la primera/última vez que...? Pregúntales a tus compañeros.

	TÚ	TU COMPAÑERO
Montar en moto	– ¿Cuándo **montaste** en moto por primera vez? – A mí **no** me gustan **nada** las motos. **Nunca** monto en moto.	> No sé, no me acuerdo, hace muchos años, de pequeña. ¿Y tú?
Comer en un restaurante japonés		
Viajar en avión		
Recibir un correo electrónico		
Ir de vacaciones		
Regalar/ recibir flores		
Ver una obra de teatro		
Cambiar de casa		

Hay dos posibilidades:

Nunca monto en moto = No monto nunca en moto

Para preguntar, empleamos:

Qué

Quién/Quiénes

Dónde

Cuándo

Cómo

Por qué

2 Habla con tu compañero sobre lo que hizo Tony ayer.

¿Qué tal tu día de ayer? Cuéntale a tu compañero todo lo que hiciste.

3 Escucha y comprueba lo que hizo Tony.

4 Selecciona un personaje y busca datos sobre su biografía. Prepara una exposición para el resto de tus compañeros.

WOLFGANG AMADEUS MOZART
Austria, 1756-1791

JORGE LUIS BORGES
Argentina 1899-Suiza 1986

BILL GATES
Estados Unidos, 28/10/1955

NELSON MANDELA
Sudáfrica, 18/07/1918

DAVID BECKHAM
Reino Unido, 2/05/1975

100	cien
200	doscientos
300	trescientos
400	cuatrocientos
500	quinientos
600	seiscientos
700	setecientos
800	ochocientos
900	novecientos
1000	mil
1999	mil novecientos noventa y nueve
2000	dos mil
2001	dos mil uno
2010	dos mil diez
2050	dos mil cincuenta

En otras palabras

1 Observa esta imagen. ¿Qué crees que ocurrió? Coméntalo con tus compañeros.

2 Fíjate en las diferentes partes de la noticia de un periódico y relaciónalas.

cuerpo de la noticia / titular / fecha / sección / subtítulo

Lunes, 30 de junio de 2008   SUCESOS

Dos jóvenes rompen la luna trasera de un autobús porque no paró

Tiraron un monopatín contra el vehículo porque el conductor pasó por la parada sin parar

VALENCIA.- Dos jóvenes de 21 años, Roberto M. D. y Pedro G. G., lanzaron el jueves un monopatín contra un autobús de la línea 5, enfadados porque el conductor no paró para recogerlos. El monopatín rompió la luna trasera del vehículo, pero, afortunadamente, ningún pasajero resultó herido, según informó Mundo Press. Los hechos ocurrieron sobre las seis de la tarde, entre las paradas de Colón y Xàtiva.

Tras la agresión, el conductor frenó y corrió detrás de los jóvenes, que salieron huyendo.

Una patrulla de la policía colaboró en la persecución de los chicos, a los que al final alcanzaron en la plaza del Ayuntamiento. Según los jóvenes, el conductor ni intentó detenerse en la parada, aunque los vio allí. Por su parte, el conductor aseguró que los vio después de haber pasado la parada.

3 Lee con atención la noticia y responde a estas preguntas.

1. ¿Quiénes son los protagonistas de la noticia?

2. ¿Qué pasó?

3. ¿Cuándo ocurrió?

4. ¿Dónde sucedió?

5. ¿Por qué lo hicieron?

6. ¿Cómo pasó?

1  Rosana Martí es una escritora argentina que ayer habló sobre su vida en un programa de televisión chileno. Escribe la historia de Rosana.

En 1955 Rosana Martí nació _____

Con 10 años _____

En 1967 _____

En 1969 _____

Con 20 años conoció a _____

Siete años después _____

En 1990_____ y 17 años después _____

En 1999 _____, pero _____

2  Ahora escucha la historia de Rosana y comprueba si tus hipótesis eran ciertas.

3 Dibuja el árbol genealógico de Rosana Martí. Utiliza las palabras del cuadro.

Daniel Rosana

el padre/la madre > los padres	el abuelo/la abuela
el marido/la mujer o	el nieto/la nieta
el esposo/la esposa	el tío/la tía
el hijo/la hija	el sobrino/la sobrina
el hermano/la hermana	el primo/la prima

AUTOEVALUACIÓN

Contesta a estas preguntas. Después, compara tus respuestas con las de tu compañero.

1 ¿Qué significa "me encanta"?

2 A mí no me gustan las películas de Alfred Hitchcock... Y, ¿a ti?

3 ¿Qué hiciste tú en 1990?

4 ¿Qué está haciendo?

5 ¿A qué hora cenaste ayer?

6 Lo que más me gusta hacer en mi tiempo libre es _____.

7 ¿Cuál es tu película preferida?

8 ¿Es correcto: *Me gusta nada jugar al fútbol*? ¿Por qué?

9 ¿En qué año naciste?

10 Si quieres, puedes dejar un mensaje. ¿Qué es?

11 ¿Qué sueles hacer los viernes por la noche?

12 ¿Qué prefieres, té o café?

13 ¿Qué sabes de Toledo?

14 Presente de indicativo de los verbos *acostarse, encontrar, entender, ir* y *pedir*.

15 ¿Cuándo dices: *¡Me voy!*?

16 Tu horario de clases.

L	Ma	Mi	J	V

17 ¿Qué significa *a menudo*?

18 ¿Qué hora es?

19 ¿Qué está haciendo?

20 El próximo fin de semana vas a _____.

¿QUÉ SÉ HACER?

Señala todas las actividades que ya puedes hacer. Si no recuerdas alguna, vuelve a la unidad de referencia y repásala.

COMPRENSIÓN ESCRITA

¿Qué sabes hacer...?

☐ Entiendo información puntual básica en carteles; por ejemplo, horarios de comercios (4).

☐ Comprendo cartas personales sencillas sobre acciones cotidianas (5).

☐ Puedo encontrar y entender la información que me interesa en folletos (5 y 6).

☐ Soy capaz de identificar la información esencial de noticias y artículos breves de prensa (6 y 7).

COMPRENSIÓN AUDITIVA

¿Qué puedes entender...?

☐ Entiendo información básica sobre horarios (4).

☐ Soy capaz de entender y de reconocer el tema de una conversación cotidiana sencilla (4 y 5).

☐ Puedo comprender la información esencial de un mensaje (5).

☐ Entiendo las palabras clave de una conversación sobre temas que conozco (6).

☐ Soy capaz de entender los detalles esenciales de una narración, por ejemplo, la biografía de una persona (7).

EXPRESIÓN ORAL

¿Qué puedes expresar...?

☐ Soy capaz de contar mis planes futuros (4).

☐ Puedo dar información personal sobre mi familia (6).

☐ Soy capaz de dar información sobre lo que hago en mi vida cotidiana (5).

☐ Puedo explicar qué está haciendo una persona o qué está ocurriendo en una situación (5).

☐ Soy capaz de describir a mi familia (6).

☐ Puedo hablar de manera sencilla de mis aficiones (6).

☐ Soy capaz de contar experiencias personales pasadas (7).

INTERACCIÓN ORAL

¿Qué puedes hacer...?

☐ Soy capaz de proponer un plan o hacer una invitación de manera sencilla y de aceptar o rechazar un plan o invitación (4).

☐ Puedo expresar la hora (4 y 5).

☐ Soy capaz de hablar con alguien para llegar a un acuerdo sobre qué hacer o dónde ir (4).

☐ Puedo preguntar y contestar sobre el tiempo libre y sobre lo que hago normalmente (5).

☐ Soy capaz de decir lo que me gusta y lo que no me gusta, y de reaccionar ante los gustos y opiniones de otras personas (6).

☐ Puedo preguntar sobre experiencias personales pasadas (7).

☐ Soy capaz de manejar cifras, por ejemplo, para hablar de los años (7).

EXPRESIÓN ESCRITA

¿Qué puedes hacer...?

☐ Soy capaz de escribir notas breves, por ejemplo, puedo completar mi agenda (4).

☐ Puedo escribir, en una carta personal, sobre aspectos de la vida cotidiana, utilizando fórmulas de saludo y despedida adecuadas (5).

☐ Soy capaz de escribir un texto sobre la situación de una persona (6).

☐ Puedo escribir un breve texto con los datos básicos de un acontecimiento pasado (7).

A-Z Soy capaz de utilizar y comprender vocabulario sobre los siguientes temas:

☐ Las horas (4 y 5).

☐ Los días de la semana (4).

☐ Acciones habituales (5).

☐ La familia (6).

☐ Los meses y las estaciones del año (7).

☐ Los años (7).

¿Y qué tal fue el viaje?

Funciones

- ▶ Referirse a momentos pasados: pasados lejanos / períodos de tiempo terminados
- ▶ Expresar movimiento y dirección

Gramática

- ▶ Pretérito indefinido de los verbos irregulares
- ▶ Expresiones temporales + pretérito indefinido
- ▶ Verbos + preposición

Léxico

- ▶ Viajes
- ▶ Ubicación y dirección

Cultura

- ▶ Canción: *A la sombra de un león* (Ana Belén)

¿Empezamos?

🎧 22 ¿Qué hiciste el fin de semana pasado?

- Oye, ¿qué tal el fin de semana pasado?

* Fenomenal, viajamos por una parte de Andalucía. El viernes estuvimos en Granada y el sábado por la noche fuimos a Sevilla.

- ¿Y qué te gustó más?

* A mí me encantó Granada. Creo que la Alhambra es el monumento más espectacular de España. Nos quedamos en los jardines casi dos horas y luego paseamos por el Albaicín, el barrio más famoso.

- ¿Y qué tal el tiempo?

* Tuvimos mucha suerte porque no hizo demasiado calor.

🎧 22 El mejor viaje de mi vida

- ¿Cuál es el mejor viaje de tu vida, Armando?

* ¿El mejor viaje de mi vida? El que hice a Viena en 2005.

- Sí, Viena es una ciudad muy bonita, ¿verdad?

* Sí, pero lo más importante es que allí conocí a Silvia, en el viaje que organizaron a Bratislava. Empezamos a salir y, ¡mira!, nos casamos el verano pasado.

Nuevo mensaje
Para: |Amanda
Cc:
Asunto:

Hola Amanda, como te dije en el "emilio" de hace dos días, ayer fui a ver las cataratas de Iguazú. ¡Son impresionantes! Nos acercamos mucho al agua, en un barco que casi llega hasta la base de la catarata, nos mojamos bastante, ¡sí!, pero lo pasamos muy bien. ¡Estoy deseando conocer las del Niágara!

Néstor

¿Está claro?

1 ¿Puedes localizar los *pretéritos indefinidos* irregulares de los textos anteriores?

estar		
estuvimos		

2 Vuelve a leer los textos y reflexiona sobre el uso del *pretérito indefinido*. ¿Con qué expresiones de tiempo pasado se utiliza? ¿Qué tienen en común?

> El fin de semana pasado... *viajamos*

3 Cuando hablamos de viajes utilizamos muchos verbos que indican lugar o movimiento. Fíjate en las preposiciones que usamos con esos verbos y completa estas frases.

Viajamos _____ una parte de Andalucía.
Estuvimos _____ Granada.
Fuimos _____ Sevilla.
Nos quedamos _____ los jardines.
Paseamos _____ el Albaicín.
Nos acercamos _____ agua.
Un barco que llega _____ la base de la catarata.

Las cosas claras

1 De dos en dos. Selecciona cinco expresiones de tiempo pasado y pregunta a tu compañero.

Y tú, ¿qué hiciste...?

- el lunes de la semana pasada
- hace cinco veranos
- anoche
- en tu último cumpleaños
- el día de Nochevieja
- en 1999
- el martes por la tarde
- hace cuatro días
- la última vez que...
- el fin de semana pasado

> Y tú, ¿qué hiciste durante la última huelga de transporte público?

> Me quedé en casa todo el día.

Recuerda que para referirnos a acciones pasadas utilizamos el pretérito indefinido.

PRETÉRITO INDEFINIDO: verbos irregulares

	estar	hacer	ir/ser	poder	tener	decir
(yo)	**estuv**e	**hic**e	fui	**pud**e	**tuv**e	**dij**e
(tú)	estuviste	hiciste	fuiste	pudiste	tuviste	dijiste
(él/ella, Vd.)	estuvo	hizo	fue	pudo	tuvo	dijo
(nosotros/as)	estuvimos	hicimos	fuimos	pudimos	tuvimos	dijimos
(vosotros/as)	estuvisteis	hicisteis	fuisteis	pudisteis	tuvisteis	dijisteis
(ellos/as, Vds.)	estuvieron	hicieron	fueron	pudieron	tuvieron	dijeron

-car aparcar	-gar llegar	leer/caer
(yo) apar**qué** aparcaste ...	(yo) lle**gué** llegaste ...	(él/ella, Vd.) leyó/**cayó** (ellos/as, Vds.) leyeron/**cayeron**

EXPRESIONES TEMPORALES

ayer / anoche / anteayer...
el fin de semana / mes / lunes pasado...
el domingo, el lunes por la tarde...
hace X días / meses /años...
en 1958...
la primera / última vez que...

2 ¿Qué acciones podemos realizar en relación con estos lugares?
Selecciona entre los verbos de lugar, movimiento y dirección representados en los dibujos.

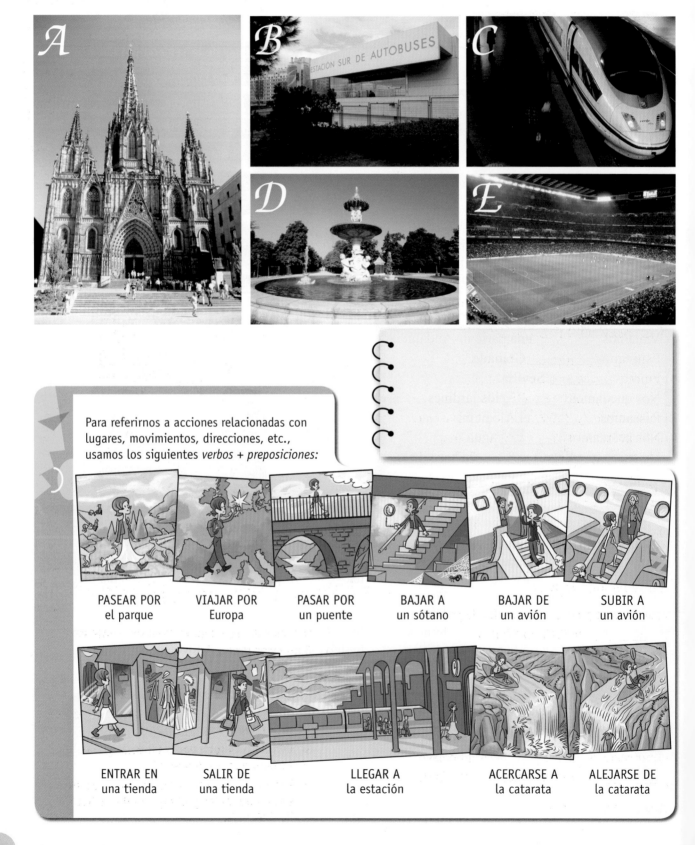

Para referirnos a acciones relacionadas con lugares, movimientos, direcciones, etc., usamos los siguientes *verbos + preposiciones:*

PASEAR POR
el parque

VIAJAR POR
Europa

PASAR POR
un puente

BAJAR A
un sótano

BAJAR DE
un avión

SUBIR A
un avión

ENTRAR EN
una tienda

SALIR DE
una tienda

LLEGAR A
la estación

ACERCARSE A
la catarata

ALEJARSE DE
la catarata

3  ¿Guardas fotos, recuerdos o mapas de tus viajes? Escribe cómo fue el mejor viaje de tu vida y cuéntaselo a tus compañeros.

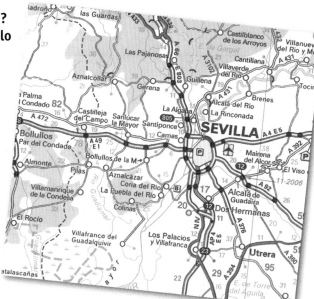

En otras palabras

1 Escucha esta canción interpretada por la cantante española Ana Belén y completa los verbos que faltan.

A LA SOMBRA DE UN LEÓN

_____ con su espada de madera
y zapatos de payaso, a comerse la ciudad.
_____ suerte en *Doña Manolita*
y, al pasar por *La Cibeles*, quiso sacarla a bailar un vals,
como dos enamorados, y dormirse acurrucados,
a la sombra de un león.

-"¿Qué tal? Estoy sola y sin marido,
gracias por haber venido a abrigarme el corazón."

Ayer, a la hora de la cena,
descubrieron que faltaba el interno 16,
tal vez, disfrazado de enfermero, de *Ciempozuelos*,
con su capirote de papel.

A su estatua preferida, un anillo de pedida
le _____ en *El Corte Inglés*,
con él, en el dedo, al día siguiente,
vi a la novia del agente que lo vino a detener.

Cayó como un pájaro del árbol,
cuando sus labios de mármol le _____ a soltar.
Quedó un taxista que pasaba mudo
al ver como empezaba *La Cibeles* a llorar
y _____ contra el Banco Central (bis).

Autor: Joaquín Sabina

2 Después de escuchar la canción, contesta a las siguientes preguntas:

1. ¿Crees que la historia de la canción puede ser real?
2. ¿Te produce una sensación triste o alegre? ¿Por qué?
3. Fíjate en la foto de La Cibeles. ¿Crees que es fácil acercarse a ella?
4. Intenta descubrir la relación que existe entre La Cibeles y el equipo de fútbol del Real Madrid.

Ropa de invierno y de verano

RECLAMACIÓN DE EQUIPAJES

Funciones

▶ Describir la ropa

▶ Hablar sobre los colores

▶ Hablar y preguntar por el tiempo

Gramática

▶ Diferencias entre *muy* y *mucho*

▶ Concordancia entre sustantivos y adjetivos: los colores

▶ Preposiciones *por* y *para*

Léxico

▶ Los colores

▶ La ropa

▶ El tiempo atmosférico

Cultura

▶ El tiempo en Hispanoamérica

¿Empezamos?

24 Mi maleta no aparece

- Vas muy rápido, Esther, ¿qué pasa?
* Voy al mostrador de "Reclamación de equipajes", mi maleta no aparece, no está en la cinta. Seguro que ya está en Nueva York o en Pekín...
- ¡Qué mala suerte!
* Sí, toda mi ropa está dentro y mi abrigo..., y aquí hace mucho frío. Están en invierno, no como en Buenos Aires.
- Bueno, pues vamos a buscar la maleta.

24 En el mostrador de "Reclamación de equipajes"

- Mire, aquí sólo tenemos estas maletas pequeñas verdes y ese bolso rojo.
* No, no, mi maleta es muy grande, azul y llena de pegatinas.
- Lo siento, tiene que rellenar esta hoja de reclamación.
* Sí, sí, y mientras aparece mi maleta, ¿qué ropa me pongo yo?

¿Está claro?

1 **¿Cuál es la maleta de Esther?**

C

B

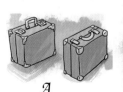

A

En Buenos Aires hace buen tiempo.

En Roma está lloviendo mucho.

En Quebec está nevando.

2 Relaciona las dos columnas:

Es muy

Hace mucho

frío
grande
calor
viento
pequeña

3 ¿Qué tiempo hace?

_____

_____

_____

_____

_____

Las cosas claras

1 De dos en dos. Ofrece a tu compañero un lugar para ir de vacaciones. Tiene que decidir la ropa que va a llevar en su maleta, en función del tiempo que hace. ¿Estás de acuerdo con su elección?

Para ir a Londres, me voy a llevar la gabardina, un buen jersey de lana y pantalones de invierno, la bufanda, el gorro y los guantes. ¡Hace mucho frío!

¿Y por qué no llevas también el bañador? Seguro que hay piscina climatizada en el hotel.

Para hablar del tiempo y describir prendas de ropa, un recurso muy útil es:

MUY / MUCHO (-A/-OS/-AS)

Muy +
adjetivo → *La maleta es **muy** grande.*

adverbio → *¡Vamos, es **muy** tarde!*

Mucho/-a/-os/-as + sustantivo

*En Moscú hace **mucho** frío.*
*Hay **mucha** gente en el aeropuerto.*
*Ese pantalón tiene **muchos** bolsillos.*
*Es una camiseta con **muchas** flores.*

Verbo + *mucho*

*Mi hermano pequeño viaja **mucho**.*

2 De dos en dos. ¿Por qué no describís las siguientes camisetas y pensáis a qué tipo de persona le gusta llevar cada una de ellas?

A

B

C

D

E

Para describir prendas de ropa, podemos usar los colores.

-o / -a	invariable
blanco/-a	azul
negro/-a	verde
rojo/-a	rosa
amarillo/-a	marrón
morado/-a	naranja
	gris

* Un bolso roj**o** / Una maleta roj**a**.
* Un bolso azul / Una maleta azul.

3 Cada estudiante llevará a la clase una o varias prendas de ropa. Por turnos, tendrán que describirlas ante el resto de los compañeros. Todos decidirán cuáles son las mejores.

En la comunicación, te serán muy útiles los siguientes usos de *por* y *para*.

por	para
1. Causa Yo creo que María prefiere la camiseta A) *por* el color.	**1. Finalidad, objetivo** Esta ropa sirve *para* ir a la playa.
2. Medio "a través de" - Mandé la maleta *por* avión. - *Por* teléfono/*por* e-mail, etc.	**2. Opinión: *para* + nombre** *Para mí*, los pantalones de Iván son los mejores.
3. Lugar "a través de" Antes de venir, he pasado *por* mi tienda de ropa favorita.	**3. Lugar "en dirección a"** El camión ya va *para* la tienda.

4 Escucha el diálogo y fíjate en el mapa. ¿Dónde están Ana y Héctor?

5 Relaciona:

soleado

lluvioso

tormenta

nublado

viento

nubes y claros

En otras palabras

EL CAMBIO CLIMÁTICO

Desde hace unos años, los científicos y expertos en cuestiones meteorológicas vienen alertándonos sobre los peligros y los riesgos del llamado "cambio climático", una realidad que, en muchos lugares de nuestro planeta, ya se está manifestando en forma de catástrofes naturales, cada vez más frecuentes: sequías, inundaciones, etc.

Es innegable que el clima está cambiando de una manera demasiado rápida debido a la acción del hombre, y así va a seguir pasando en los próximos años. Los científicos pronostican que la subida de las temperaturas, debida al aumento de CO_2 en la atmósfera y a la reducción de la capa de ozono, está provocando un calentamiento progresivo de la Tierra, como se puede observar en el acelerado deshielo de las zonas polares y en la consiguiente subida del nivel del agua en océanos y mares.

Parece que las visiones apocalípticas sobre el futuro del planeta que nos han presentado algunas películas de Hollywood han dejado de ser ficción para convertirse en realidad. El cambio climático ha empezado a tener efectos sobre nuestras vidas, pero ¿hay algún remedio?

1 Contesta a las siguientes preguntas:

1. ¿Qué es el cambio climático? Defínelo con tus propias palabras.
2. ¿Qué palabras del texto crees que pertenecen a un vocabulario más técnico? ¿Conoces alguna otra relacionada con la meteorología?

3. ¿Cómo puedes ayudar tú a frenar el cambio climático? Puedes consultar en:

   www.ec.europa.eu/environment/climat/campaign/index_es.htm

   www.cambioclimaticoglobal.com

   www.cambioclimatico.org

10 ¿A qué hora te has levantado hoy?

SECCIÓN LOCAL

Este año ya han robado dos veces en el Museo Municipal de Arte Moderno.

El alcalde ha inaugurado hoy la nueva estación de autobuses.

Todavía no han encontrado dos de los cuatro monos desaparecidos del zoológico.

Los equipos de fútbol de la ciudad han establecido un acuerdo con los colegios para promocionar el deporte escolar.

Funciones

▶ Referirse a acciones pasadas recientes o dentro de períodos de tiempo no finalizados

Gramática

▶ Pretérito perfecto de indicativo

▶ Contraste de uso pretérito perfecto/ pretérito indefinido

Léxico

▶ Periódicos y anuncios publicitarios

Cultura

▶ Historias de niños que hablan español

¿Empezamos?

En enero TELEVOZ bajó sus tarifas un 5%.

En verano volvió a bajarlas otro 5%.

Esta vez TELEVOZ ha vuelto a bajar sus tarifas: ahora 5%.

Este año TELEVOZ ha bajado sus tarifas en tres ocasiones. Ninguna otra compañía telefónica lo ha hecho hasta ahora.

TELEVOZ: tarifas más bajas día a día.

¿Está claro?

1 ¿Verdadero o falso?

	V	F
1. Los monos desaparecidos del zoo ya han aparecido.	☐	☐
2. Los equipos de fútbol de la ciudad colaboran con los colegios.	☐	☐
3. TELEVOZ es la única compañía que ha bajado sus tarifas tres veces este año.	☐	☐
3. Hoy han abierto la nueva estación de autobuses.	☐	☐

2 ¿A qué titulares de la página anterior corresponden los siguientes fragmentos de noticias? No necesitas entender todas las palabras.

La campaña de apoyo a las actividades deportivas va a comenzar durante el próximo curso escolar. Jugadores y entrenadores han prometido visitar los centros educativos personalmente.

Es ya la segunda vez en lo que va de año que los ladrones han pasado por las salas laterales y se han llevado diferentes obras de arte. La policía no ha encontrado ninguna pista.

¿Ya la has visto?

MONSTRUO CINE

Sí, la semana pasada.

Las cosas claras

1  Completa y habla con tus compañeros de clase.

Estas Navidades...

Últimamente...

Esta mañana...

Todavía no...

Para referirnos a acciones pasadas recientes o dentro de períodos de tiempo no finalizados, usamos el pretérito perfecto:

PRETÉRITO PERFECTO DE INDICATIVO

	Presente de *haber*	participio pasado
(yo)	he	
(tú)	has	- ar > -ado / bajado
(él/ella, Vd.)	ha	+ - er ⟩ -ido / establecido
(nosotros/as)	hemos	- ir / vivido
(vosotros/as)	habéis	
(ellos/as, Vds.)	han	

*Algunos participios irregulares:

hacer → **hecho**	abrir → **abierto**
poner → **puesto**	decir → **dicho**
romper → **roto**	componer → **compuesto**
ver → **visto**	escribir → **escrito**
volver → **vuelto**	morir → **muerto**

2  Escucha los tres diálogos y completa.

A)

- A las siete y cuarto, María ....
- María se ha retrasado porque el metro ....
- Mónica y Eva ya ....

C)

- Últimamente, ...

B)

- Tony no ....
- Virginia estuvo dos veces ....

Para marcar el contraste entre un pasado más reciente y otro más lejano usamos, respectivamente, el pretérito perfecto y el pretérito indefinido.

Con cada uno de estos tiempos de pasado y para marcar ese contraste, solemos utilizar estas expresiones temporales:

PRETÉRITO PERFECTO	PRETÉRITO INDEFINIDO
Hoy	Ayer / anoche
Esta mañana / semana	La semana _pasada_
Ya / todavía no	En 1974 / en enero
Últimamente	El lunes por la tarde
Hace 5 minutos	Hace 5 años

* Hoy _me he levantado_ muy tarde porque anoche _me acosté_ a las 5.

3 De dos en dos. Pregunta a tu compañero si ha realizado estas actividades alguna vez.

- pilotar un avión
- vivir en una isla
- casarse
- esquiar en los Alpes
- perder el teléfono móvil
- ver un combate de boxeo en directo
- escribir un libro
- disfrazarse
- organizar una fiesta en casa
- hacer un safari
- estar en algún país hispano-americano

- ¿Has cantado en público alguna vez?
* Sí, muchas veces, pero siempre lo he hecho entre amigos. ¿Y tú?
- No, yo nunca, soy muy tímido.

4 Piensa en dos cosas positivas y dos negativas que te han pasado esta semana. ¿Coinciden con las de tus compañeros?

En otras palabras

Historias de niños que hablan español

ALEJANDRO MENDOZA MOLINA
Dos años

Los papás de Alejandro son mexicanos pero él no ha estado todavía en México. Alejandro ha nacido en España porque su papá trabaja en Palma de Mallorca para una compañía aérea española, desde hace cinco años. Los papás de Alejandro han ido tres veces a México este año, pero él no los ha acompañado porque han sido viajes muy cortos.

Las próximas Navidades va a viajar a México por primera vez y va a conocer a sus abuelitos.

MARINA TORRES ALONSO
Seis años

Marina vive en Valencia desde hace dos años. Su padre trabaja en la construcción y su madre en un supermercado, de cajera. Son ecuatorianos.

Marina ha perdido el acento de su país: "Habla con la tonada de España, más brusca que la nuestra", dice su madre. Su padre añade: "Esta tarde, cuando ha oído *auto*, me ha corregido y ha dicho: 'No se dice auto, papá, se dice coche'".

1 Busca en el diccionario las palabras que no entiendas e intenta explicarlas en español.

2 De dos en dos. Tienes un minuto para leer uno de los textos y contárselo a tu compañero. Él hará lo mismo.

3 ¿Conoces alguna historia similar? Intenta resumirla.

11 Chico, tienes que cuidarte

¿Empezamos?

 27

No tienes buena cara. ¿Qué te pasa?

- Oye, no tienes buena cara. ¿Qué te pasa?
- No sé, últimamente no me encuentro muy bien. Me duele todo el cuerpo, estoy siempre cansada...
- ¿Y por qué no vas al médico, Susana? Tienes que cuidarte.
- Es que no tengo tiempo, estoy muy ocupada…
- Sí, pero la salud es lo primero, tienes que ir al médico.

27

Llamo para pedir cita

- Clínica del Mar, buenos días.
- Buenos días. Llamo para pedir cita con el doctor Zamorano. ¿Puede ser el lunes?
- Sí, el lunes a las cinco. ¿Cómo se llama?
- Susana Aguirre.

27

Cuídate, con la salud no se juega

[Dos semanas más tarde...]

- Bueno, ya tienes mejor aspecto, ¿eh?
- Sí, seguí tu consejo y fui al médico la semana pasada. Ya estoy mucho mejor.
- ¿Y qué te dijo?
- Me mandó unos análisis de sangre y me dijo que tengo un poco de anemia y agotamiento. Me recetó unas vitaminas y también hierro.
- Bueno, pues cuídate, recuerda que con la salud no se juega.

Funciones

- Hablar y preguntar sobre el estado físico y la salud
- Expresar dolor físico
- Expresar obligación, consejo o sugerencia

Gramática

- Verbo *doler*
- Uso de las perífrasis verbales:
  tienes que + infinitivo
  deberías + infinitivo
  hay que + infinitivo

Léxico

- Vocabulario sobre salud y enfermedad
- Las partes del cuerpo

Cultura

- Canción: *Chico, tienes que cuidarte* (Hombres G)

¿Está claro?

1 Lee estos dichos populares sobre la salud. ¿Qué significan? ¿Hay alguno similar en tu lengua?

Con la salud no se juega.

Tres cosas hay en la vida: salud, dinero y amor.

2 Busca en los diálogos anteriores palabras y expresiones referidas a la salud con sentido positivo o negativo.

POSITIVO	NEGATIVO
	anemia

Las cosas claras

1 Observa los nombres de las partes del cuerpo y escríbelos donde corresponda

la cabeza
  la frente
  la oreja
  el ojo
  la nariz
  la boca
  el diente
el cuello
el brazo
  el hombro
  el codo
  la mano
  el dedo
la tripa
la pierna
  la rodilla
  el tobillo
  el pie
la espalda

2  De dos en dos. Preparad una escena en la consulta del médico. El paciente debe pensar en la enfermedad por la que va a la consulta, así como los síntomas, su duración, sus hábitos, etc. El médico va a buscar el remedio y las recomendaciones para el paciente (medicamentos, pruebas médicas, consejos, etc.).

Para expresar el dolor, usamos el verbo *doler*:			Para expresar obligación, consejo o sugerencia, podemos usar las siguientes expresiones:

(A mí)	**me**		
(A ti)	**te**	duel**e**	el cuello
(A él/ella, Vd.)	**le**		
(A nosotros/as)	**nos**		las piernas
(A vosotros/as)	**os**	duel**en**	
(A ellos/as, Vds.)	**les**		

• Este verbo se usa igual que *gustar*. También se usan así:

pasar ¿*Qué te pasa?*

parecer ¿*Qué te parece?*

(+) *Tienes que*		Estos verbos se pueden
(+) *Debes*	+ infinitivo	conjugar en todas las personas: *tengo que, tienes que, tiene que, tenemos que, tenéis que, tienen que.*
(-) *Deberías*		
Hay que	+ infinitivo	Sólo se usa esta forma de manera impersonal: *Hay que comer bien para estar sano.*

3 **¿Cómo se dice en español? ¿Con qué parte del cuerpo relacionas cada una de estas acciones. ¿Te acuerdas de otras?**

_____   _____   _____

hacer auto-stop / tocar el piano / estornudar / llevar un collar / pisar a alguien / llevar pendientes

_____   _____   _____

4 🔊 **28** Escucha estos diálogos y señala a qué médico especialista ha acudido cada paciente.

A

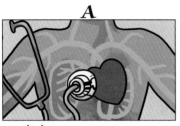

Cardiología

B

Otorrinolaringología

C

Traumatología

En otras palabras

🔊 **29** Sustituye los dibujos por las palabras correspondientes y, después, escucha esta canción de Hombres G, un grupo pop español de los años 80.

CHICO, TIENES QUE CUIDARTE (HOMBRES G)

Ayer fui a visitar a mi _____ de cabecera

y la verdad es que no se por qué...

y es que a veces te da por pensar

que algo te funciona mal,

cuando la verdad es que me encuentro bien.

Me senté un ratito en la  _____ y

ojeando una 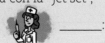 _____

me enteré de quién se acuesta con la "jet set",

pero inmediatamente vino la 🧑‍⚕️ _____:

"Puede pasar usted",

"Levántate la 👕 _____,

respira hondo y dime treinta y tres...",

"Tú 🫁 _____ bastante, dime si me equivoco",

"Pero ¿qué te pasa?, ¿te estás volviendo loco?".

Chico, tienes que cuidarte,

¿cuánto crees que durarás así?,

¿cuánto crees que tu organismo podrá resistir?

Me fui a casa "destrozao",

me metí en la 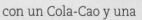 _____

con un Cola-Cao y una  _____.

Puse la televisión y, nada más ponerla,

el primer anuncio, uno del SIDA.

Mi vecino vino a verme en seguida,

"Pero chico..., pero... ¿qué te pasa?, ¿cómo estás?"

Chico, tienes que cuidarte,

¿cuánto crees que durarás así?,

¿cuánto crees que tu organismo podrá resistir?

* SIDA: *Síndrome de inmunodeficiencia adquirida.*

 Unidades 8-11 CUÉNTAME

1 Sonia Luque es una estudiante española de 16 años. Mira los dibujos y escribe cómo ha sido su día de hoy.

7:30 · ¡A LEVANTARSE!

LECHE Y CEREALES PARA DESAYUNAR. · 8:00

A CLASE EN EL AUTOBÚS. · 8:15

PRIMERA CLASE DEL DÍA. · 8:45

CLASE DE ESPAÑOL CON ELEXPRÉS. · 11:00

14:30 · FIN DE LAS CLASES. A CASA A COMER.

15:00 · UN POCO DE DESCANSO.

17:00 · LUNES Y MIÉRCOLES, FRANCÉS CON AMÉLIE.

17:30 · MARTES Y JUEVES: BALONCESTO CON EL EQUIPO.

19:00 · ES HORA DE HACER LOS DEBERES.

CENA Y UN POCO DE TELEVISIÓN. · 21:30

23:00 · A LAS ONCE EN LA CAMA.

Hoy Sonia se ha levantado a las 7:30. _____
_____
_____
_____
_____
_____
_____
_____
_____

2 Completa las siguientes frases con *muy* o *mucho/a/os/as*.

1. Sonia es una chica _____ trabajadora.

2. En el Instituto, Sonia tiene _____ horas de clase.

3. A ella le gustaría _____, pero no tiene _____ tiempo para estar con sus amigos.

4. Sonia gasta _____ energía en su actividad diaria.

5. Además del trabajo en clase, Sonia tiene que hacer _____ deberes.

6. Sonia no ve _____ la televisión, sólo un poco cuando está cenando.

7. Sonia se acuesta _____ tarde, a las 11:00. ¡Al día siguiente no puede levantarse!

3 De dos en dos. Pregunta a tu compañero qué ha hecho Sonia esta semana.
Tu compañero te preguntará a ti qué hizo Sonia el fin de semana pasado.

ALUMNO A		ALUMNO B	
Esta semana	**El fin de semana pasado**	**Esta semana**	**El fin de semana pasado**
	VIERNES POR LA TARDE	**VIERNES POR LA TARDE**	
	SÁBADO POR LA MAÑANA	**SÁBADO POR LA MAÑANA**	
	SÁBADO A LA HORA DE COMER	**SÁBADO A LA HORA DE COMER**	
	SÁBADO POR LA TARDE	**SÁBADO POR LA TARDE**	
	DOMINGO POR LA MAÑANA	**DOMINGO POR LA MAÑANA**	
	DOMINGO POR LA TARDE	**DOMINGO POR LA TARDE**	

AUTOEVALUACIÓN

Contesta a estas preguntas. Después, compara tus respuestas con las de tu compañero.

1 Pretérito indefinido del verbo *ir*.

2 ¿Qué es el Albaicín y dónde está?

3 Elige la preposición correcta:

pasear > por / en / de

4 ¿Dónde hemos hablado de "Doña Manolita"? ¿Qué es?

5 El participio pasado del verbo *abrir*.

6 Pretérito indefinido del verbo *poder*.

7 ¿Qué preposición usamos: *alejarse...*?

8 ¿Cómo se dice en español?

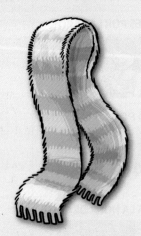

9 ¿Has trabajado mucho últimamente?

10 ¿Qué hace?

11 Pretérito indefinido del verbo *decir*.

12 Elige la opción correcta:

Tengo > muy / mucho **calor**

13 ¿A qué hora te has levantado hoy?

14 ¿Cómo se dice en español?

15 Señala dos cosas que deberías hacer más.

16 Señala dos cosas que tienes que hacer menos.

17 Todavía no he...

18 Ya he...

19 ¿Qué tiempo representa?

20 ¿Cómo se dice en español?

¿QUÉ SÉ HACER?

Señala todas las actividades que ya puedes hacer. Si no recuerdas alguna, vuelve a la unidad de referencia y repásala.

COMPRENSIÓN ESCRITA

¿Qué sabes hacer...?

- ☐ Soy capaz de entender el sentido general de la letra de una canción (8 y 11).
- ☐ Comprendo mensajes de correo electrónico cortos y sencillos (8).
- ☐ Soy capaz de comprender la información e interpretar los símbolos de un mapa del tiempo (9).
- ☐ Puedo identificar el titular de una noticia de periódico y el formato de un anuncio (10).
- ☐ Soy capaz de leer un texto expositivo sencillo y contestar a unas preguntas breves sobre él (10).

COMPRENSIÓN AUDITIVA

¿Qué puedes entender...?

- ☐ Soy capaz de identificar algunas palabras relevantes cuando escucho una canción (8 y 11).
- ☐ Comprendo preguntas breves e información sobre la ropa y los colores (9).
- ☐ Entiendo información básica sobre un titular de periódico (10).
- ☐ Identifico en diálogos breves términos relacionados con la salud y las enfermedades (11).

EXPRESIÓN ORAL

¿Qué puedes expresar...?

- ☐ Soy capaz de expresar nociones básicas sobre movimiento y dirección (8).
- ☐ Puedo hablar de manera básica sobre el tiempo (9).
- ☐ Soy capaz de describir la ropa, por ejemplo, su color (9).
- ☐ Puedo referirme de manera sencilla a acciones pasadas recientes o a lo que he hecho hoy (10).
- ☐ Puedo expresar el contraste entre lo que hice ayer y lo que he hecho hoy (10).
- ☐ Soy capaz de expresar obligación, dar un consejo o sugerir algo sobre un tema sencillo, por ejemplo, relacionado con la salud (11).
- ☐ Puedo expresar cómo me encuentro y decir qué me duele de manera sencilla (11).

INTERACCIÓN ORAL

¿Qué puedes hacer...?

- ☐ Puedo preguntar a otro sobre cosas que hizo en el pasado (8).
- ☐ Soy capaz de pedir y dar información sobre el tiempo que hace en un lugar (9).
- ☐ Puedo preguntar de manera básica por prendas de ropa (9).
- ☐ Soy capaz de expresar y preguntar por lo que ha hecho otra persona (10).
- ☐ Puedo decir cómo estoy e interesarme y preguntar por la salud de otros (11).

EXPRESIÓN ESCRITA

¿Qué puedes hacer...?

- ☐ Soy capaz de escribir mensajes de correo electrónico sencillos y cortos (8).
- ☐ Puedo escribir un texto breve para contar algo sobre un viaje (8).
- ☐ Soy capaz de escribir una página de diario con las informaciones básicas de lo que he hecho hoy (10).

A-Z Soy capaz de utilizar y comprender vocabulario sobre los siguientes temas:

- ☐ Viajes y direcciones (8).
- ☐ Colores (9).
- ☐ Prendas de ropa (9).
- ☐ Tiempo atmosférico y clima (9).
- ☐ Secciones de periódicos (10).
- ☐ Anuncios publicitarios (10).
- ☐ Partes del cuerpo (11).
- ☐ Enfermedades y médicos (11).
- ☐ Expresiones populares sobre la salud (11).

12 Antes todo era diferente

¿Empezamos?

El antes y el ahora de Manuel y Sonia

Manuel y Sonia son una pareja de españoles que ahora viven en la capital de Bélgica, Bruselas. No tienen hijos y los dos trabajan fuera de casa. Siempre están muy ocupados, sobre todo Sonia, y con poco tiempo libre. Pero antes su vida no era así, todo era diferente.

Antes vivían en España, en un pueblo de la costa mediterránea llamado Nerja. Manuel daba clases de español para extranjeros en una academia y Sonia estudiaba Secretariado Internacional y, durante los veranos, trabajaba de camarera en un bar de la playa.

Ahora viven en Bruselas. Manuel todavía da clases de español, pero en el Instituto Cervantes; a veces, también realiza traducciones para una editorial. Sonia aprobó un examen para la Unión Europea y trabaja como secretaria de un eurodiputado español.

Antes tenían más tiempo libre. Manuel iba al gimnasio tres días por semana, era muy deportista. Los dos leían mucho y salían con sus amigos. Casi todos los fines de semana hacían excursiones y salían a navegar al mar.

Ahora pasan poco tiempo juntos. Sonia está todo el día fuera de casa y tiene que viajar mucho por motivos de trabajo, por eso, suele estar muy cansada. Ya no viven al lado del mar y echan de menos salir a navegar los fines de semana.

Funciones

- ▶ Indicar el contraste entre antes y ahora
- ▶ Describir personas, cosas y lugares en el pasado
- ▶ Referirse a acciones habituales en el pasado
- ▶ Hablar de recuerdos personales

Gramática

- ▶ Pretérito imperfecto de los verbos regulares e irregulares
- ▶ Expresiones temporales que indican acción habitual
- ▶ *Solía* + infinitivo
- ▶ *Ser* y *estar*

Léxico

- ▶ Vocabulario de momentos de la vida de una persona
- ▶ Recuerdos infantiles

Cultura

- ▶ Tradiciones navideñas: el día de los Reyes Magos

¿Está claro?

1 En el texto sobre Manuel y Sonia aparece un nuevo tiempo de pasado: el pretérito imperfecto. ¿Puedes escribir las formas que corresponden a estos infinitivos?

ser _____

vivir _____

dar _____

estudiar _____

estar _____

tener _____

ir _____

leer _____

salir _____

hacer _____

> Para hablar de acciones habituales en el pasado, usamos el pretérito imperfecto:
>
> *Casi todos los fines de semana, Manuel y Sonia salían con sus amigos y navegaban en su barco.*
>
> También podemos usar la expresión *solía* + infinitivo:
>
> *Solían navegar = a menudo navegaban*
>
> Con estas expresiones temporales, expresamos acciones habituales y usamos el pretérito imperfecto en el pasado:
>
> | acciones habituales |
> |:---:|
> | Siempre |
> | A menudo |
> | Muchas veces |
> | Todos los fines de semana |

2 Fíjate en los ejemplos del uso de *ya no* y *todavía*. Vuelve a leer el texto y señala otras cosas que *ya no* hace Manuel y que antes hacía.

	AHORA
Antes Manuel y Sonia vivían al lado del mar, pero...	*ya no* **viven junto al mar.**
Antes Manuel enseñaba español y...	*todavía* **da clases de español.**

3 ¿Qué verbo se usa: *ser* o *estar*?

es
está

- trabajando todo el día
- cansada siempre
- secretaria
- en Bruselas
- muy ocupada
- española
- la mujer de Manuel

Las cosas claras

1 Pregunta a tu compañero cómo era su vida antes y cómo es ahora. ¿Ha cambiado mucho? ¿Qué solía hacer antes y ahora no hace?

> *Antes salía mucho por las noches y ahora estoy siempre cansado.*

> Para indicar el contraste entre antes y ahora, usamos el pretérito imperfecto:
>
> *Antes vivían en España y ahora viven en Bélgica.*

PRETÉRITO IMPERFECTO: verbos regulares				PRETÉRITO IMPERFECTO: verbos irregulares		
	estudiar (-ar)	**tener (-er)**	**vivir (-ir)**	**ser**	**ver**	**ir**
(yo)	estudi**aba**	ten**ía**	viv**ía**	era	veía	iba
(tú)	estudi**abas**	ten**ías**	viv**ías**	eras	veías	ibas
(él/ella, Vd.)	estudi**aba**	ten**ía**	viv**ía**	era	veía	iba
(nosotros/as)	estudi**ábamos**	ten**íamos**	viv**íamos**	éramos	veíamos	íbamos
(vosotros/as)	estudi**abais**	ten**íais**	viv**íais**	erais	veíais	ibais
(ellos/as, Vds.)	estudi**aban**	ten**ían**	viv**ían**	eran	veían	iban

2 Patricia y Belén recuerdan cómo eran sus habitaciones de niñas.
Lee lo que cuenta Patricia e imagina lo que dice Belén.

Cuando **era** pequeña me **encantaba** jugar en mi habitación: **tenía** una caja muy grande, donde **guardaba** todos mis juguetes. También **había** una alfombra con dibujos de muñecas. Mi hermano pequeño y yo siempre **saltábamos** sobre mi cama. Era muy divertido.

Para hacer descripciones en el pasado, usamos el pretérito imperfecto:

Cuando era joven, Sonia tenía el pelo rizado y largo y vestía de manera informal.

3 Escucha ahora a Belén y compara con lo que tú has imaginado.

4 Pregunta a tu compañero sobre sus recuerdos. ¿Cómo era(n)...?

tu colegio	
el coche de tus padres	
tu juguete favorito	
tu artista preferido	
tu ropa	
tus vecinos	
tu mascota / animal doméstico	
el jardín de tu casa	

Observa estos usos de los verbos *ser* y *estar*. Pueden ayudarte para hablar de tus recuerdos.

ser	**estar**
1. Ser + nacionalidad *Manuel es español.*	**1.** Ubicación: estar en *Bruselas está en Bélgica.*
2. Ser + profesión *Sonia es secretaria.*	**2.** Estar + gerundio *Estoy aprendiendo español.*
3. Identificación *Mi coche es ese, el azul.*	**3.** Estar bien / mal *Este ejercicio no está bien.*
4. Característica: ser + adjetivo *es deportista / rubio / alto / simpático...*	**4.** Estado: estar + adjetivo *está ocupado / roto / abierto / cansado...*

5 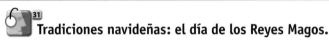 Escribe cómo pasabas el verano de pequeño. El profesor os dará a cada uno la historia de otro compañero para que adivinéis de quién se trata.

En otras palabras

 **Tradiciones navideñas: el día de los Reyes Magos.**

Muchos países y pueblos han mantenido las tradiciones de Navidad a través del tiempo. Las costumbres navideñas forman parte de nosotros y, por tanto, de nuestra cultura. En España, por ejemplo, el 6 de enero se celebra el día de los Reyes Magos. Los Reyes Magos de Oriente, Melchor, Gaspar y Baltasar, traen regalos y juguetes a los niños en la noche del 5 al 6. Ese día de Reyes trae recuerdos muy entrañables, no sólo en España.

CAROLINA GÓMEZ.
26 AÑOS. ESPAÑA.

Para mí, el día de los Reyes Magos era muy feliz. Durante todo el año esperaba con ilusión los juguetes que me traían los Magos de Oriente. A veces no era lo que yo pedía, pero siempre tenía regalos. Recuerdo que siempre dejaba a los Reyes dulces navideños y un poquito de anís, ¡seguro que estaban cansados!, y me acostaba pronto. Estaba nerviosa y casi no podía dormir. Por la mañana, me levantaba muy temprano para ver mis regalos. ¡Nunca olvidaré la ilusión que sentía al ver las cajas y los paquetes!

ROBERTO LÓPEZ. 30 AÑOS. PERÚ.

Aunque en Perú solemos dar los regalos el día de Navidad, en algunas regiones el 6 de enero se celebra la Bajada de Reyes. Mi familia se reunía todos los años en casa de mis abuelitos y cada uno ayudábamos a guardar las figuritas del Nacimiento*. Los niños, de uno en uno, bajábamos las figuras y las guardábamos en una caja. Mi abuelito siempre ponía algunos papeles con premios escondidos debajo de las figuras: golosinas, juguetes, etc. Después, comíamos y bailábamos juntos. Era muy divertido.

* El Nacimiento es una tradición navideña muy popular en los países hispanos. Se trata de figuritas que representan a los personajes relacionados con el nacimiento de Jesús.

Contesta a las siguientes preguntas:

1. ¿Quiénes son los Reyes Magos en la cultura española?

2. ¿Por qué los Reyes Magos son tan importantes para los niños?

3. En la *Bajada de Reyes*, ¿los niños reciben regalos?

4. ¿Existe alguna tradición similar en tu país en la que los niños reciben regalos? ¿Cómo es?

Apaguen sus móviles, por favor

Más de 5.000 niños han tenido un Nuevo Futuro
AYÚDANOS a seguir creciendo

nuevo futuro

www.nuevofuturo.org

INVIERTE en solidaridad
Si quieres colaborar económicamente,
HAZTE socio de Nuevo Futuro
CONSIGUE más información en www.nuevofuturo.org

INFORMACIÓN TELEFÓNICA

11822

Tenemos toda la información que necesita.
LLÁMENOS y ENCUENTRE lo que busca.

Funciones

▶ Pedir o solicitar algo a alguien

▶ Comprender y mantener una conversación telefónica

▶ Solicitar información

▶ Pedir y dar permiso

Gramática

▶ Imperativo afirmativo de los verbos regulares e irregulares

▶ *Poder* + infinitivo

▶ Imperativo + pronombre / *Poder* + infinitivo + pronombre

Léxico

▶ Vocabulario relacionado con el teléfono

▶ Nombres de alimentos

Cultura

▶ Test de alimentación

¿Empezamos?

Nuevo Futuro es una organización no gubernamental (ONG) española destinada a la creación de hogares para menores abandonados o sin familia.

 32
Ring, ring...

[Servicio de Información Telefónica 11822. Le atiende la posición 781.]

- Información Telefónica, buenos días. ¿En qué puedo ayudarle?
• Buenos días, quería el teléfono del restaurante San Marco, en la calle Betis, en Sevilla.
- Un momento, por favor. Tome nota.

[El teléfono solicitado es: 954 280310.]

¿Está claro?

1 En los dos anuncios, las formas verbales en mayúscula corresponden al *imperativo*, forma que usamos para ordenar o recomendar. Fíjate en cada contexto y relaciona.

Encuentre		Invierte
Ayúdanos	**TÚ**	Hazte
Llámenos	**USTED**	Consigue

2 Lee de nuevo la conversación telefónica y fíjate en la forma de pretérito imperfecto *quería*. ¿A cuál de los siguientes usos crees que corresponde?

a. Descripción.

b. Expresión educada para pedir o solicitar algo.

c. Expresión de acciones habituales en el pasado.

Las cosas claras

1 En grupo. Selecciona un dibujo y usa un imperativo para dar una orden a un compañero de la clase. Él hará lo mismo a otro compañero y, así, sucesivamente.

Ponte de pie

Para dar órdenes y hacer recomendaciones, podemos usar el imperativo:

IMPERATIVO AFIRMATIVO: verbos regulares

	llamar (-ar)	beber (-er)	escribir (-ir)
tú	llam**a**	beb**e**	escrib**e**
vosotros/as	llama**d**	bebe**d**	escribi**d**
usted	llam**e**	beb**a**	escrib**a**
ustedes	llam**en**	beb**an**	escrib**an**

Para la forma *vosotros* se cambia la **-r** del infinitivo por **-d**. llama**r** > llama**d**, bebe**r** > bebe**d**, escribi**r** > escribi**d**.

> Encontrar **o>ue**
> *encuentra > encontrad*
> *encuentre > encuentren*

Los verbos irregulares del tipo *e>ie, o>ue, e>i* no tienen cambio vocálico en la forma *vosotros*.

Se conjugan así, entre otros, *probar, sentarse, cerrar, encender, dormir*, etc.

IMPERATIVO AFIRMATIVO: verbos irregulares

hacer	**tener**	**poner**	**ir**	**decir**	**salir**	**venir**
haz	ten	pon	ve	di	sal	ven
haced	tened	poned	id	decid	salid	venid
haga	tenga	ponga	vaya	diga	salga	venga
hagan	tengan	pongan	vayan	digan	salgan	vengan

2 De dos en dos. Si eres A, mira los dibujos y formula preguntas a tu compañero. Si eres B, dale permiso y di por qué.

Alumno/a A Pregunta	–¿Puedo cogerlo?	[abrir]	[usar]	[llevar]	[probar]	[encender]
Alumno/a B Respuesta	–Sí, sí, cógelo, sin miedo, que no llora.	[tener calor]	[no ir al trabajo]	[terminar]	[ese trozo es para ti]	[música]

Para pedir y dar permiso, un recurso muy frecuente es la expresión *poder* + infinitivo:

–¿Puedo cogerlo?
–Sí, sí, cógelo. / Sí, sí, puedes cogerlo.

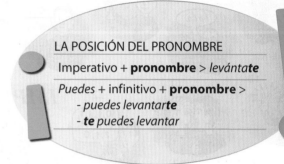

LA POSICIÓN DEL PRONOMBRE

Imperativo + **pronombre** > levánta**te**

Puedes + infinitivo + **pronombre** >
- puedes levantar**te**
- **te** puedes levantar

3 Escucha los diálogos. ¿A qué situación corresponde cada uno?

Teléfono fijo
A. Está comunicando
B. No funciona
C. Se han equivocado
D. Salta el contestador automático
E. No contestan / No hay nadie

Teléfono móvil
A. Está apagado / fuera de cobertura
B. No tiene batería
C. No queda saldo
D. Salta el buzón de voz
E. Hay un mensaje de texto

4 El mensaje de nuestro contestador automático nos puede dar una idea de cómo es la persona que lo ha grabado. Piensa y escribe el tuyo. En clase se va a hacer una "audición" de mensajes de contestador.

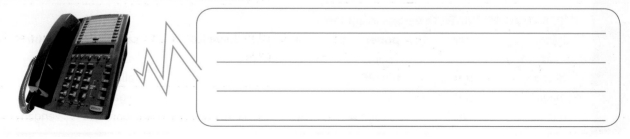

En otras palabras

Y tú, ¿sabes comer bien?

1 Si quieres saber si comes correctamente, responde a las preguntas del test y suma el total de los puntos correspondientes a cada respuesta. Contesta con sinceridad: a) "a menudo" significa casi todos los días; b) "a veces" quiere decir una o dos veces a la semana; y c) "casi nunca/nunca" significa una frecuencia de una vez cada dos o tres semanas.

1 **¿Sueles tomar fruta?**
- **a.** ☐ A menudo (2)
- **b.** ☐ A veces (1)
- **c.** ☐ Casi nunca/nunca (0)

2 **¿Tomas alimentos integrales (cereales, pan, pasta, arroz)?**
- **a.** ☐ A menudo (2)
- **b.** ☐ A veces (1)
- **c.** ☐ Casi nunca/nunca (0)

3 **¿Utilizas cebolla, ajo o hierbas aromáticas en lugar de la sal para dar sabor a las comidas?**
- **a.** ☐ A menudo (2)
- **b.** ☐ A veces (1)
- **c.** ☐ Casi nunca/nunca (0)

4 **¿Consumes pescados azules como atún, sardinas o salmón?**
- **a.** ☐ A menudo (2)
- **b.** ☐ A veces (1)
- **c.** ☐ Casi nunca/nunca (0)

5 **¿Comes carnes rojas u otros productos con hierro (soja, lentejas, etc.)?**
- **a.** ☐ A menudo (2)
- **b.** ☐ A veces (1)
- **c.** ☐ Casi nunca/nunca (0)

6 **¿Consumes productos lácteos desnatados o bajos en grasa?**
- **a.** ☐ A menudo (2)
- **b.** ☐ A veces (1)
- **c.** ☐ Casi nunca/nunca (0)

2 **Contesta a las siguientes preguntas:**

1. ¿Cómo se llaman estos alimentos?

$\mathcal{A}$ $\mathcal{B}$ $\mathcal{C}$

_____   _____   _____

$\mathcal{D}$ $\mathcal{E}$

_____   _____

2. Los creadores del *test* han olvidado escribir cómo interpretar la suma de puntos. ¿Por qué no lo haces tú?

0-4: _____

5-8: _____

9-12: _____

3. ¿Qué alimentos se consumen más y menos en tu país?

_____

_____

14 Y entonces le conté mis recuerdos

¿Conoces nuestro nuevo perfume de jazmín?

Agua fresca te lo regala.

Recorta este anuncio y pídeselo a tu vendedor habitual.

Agua fresca

EAU DE TOILETTE

Funciones

➤ Narrar y describir en el pasado

➤ Hablar sobre recuerdos y anécdotas personales

Gramática

➤ Pronombres personales de objeto directo y objeto indirecto

➤ Orden de dos pronombres + verbo

➤ Contraste entre pretérito indefinido y pretérito imperfecto de indicativo

Léxico

➤ Vocabulario sobre recuerdos personales

➤ Objetos de un mercadillo

Cultura

➤ Recuerdos y anécdotas de ayer

¿Empezamos?

Un recuerdo de la infancia de Paco

Cuando era pequeño no me gustaban las tostadas, pero mi madre siempre me las daba en el desayuno.

En aquella época, veraneábamos en la playa, en un chalé que no tenía otras casas alrededor.

Cada vez que llegaba el momento del desayuno, yo salía al jardín con mis dos tostadas. Como mi madre estaba dentro de casa y no me veía, yo aprovechaba para tirar las tostadas fuera del jardín, hasta que un día mi madre salió mientras yo las estaba tirando.

Entonces, dio la vuelta a la casa y descubrió una torre de tostadas al otro lado del jardín.

¡Nunca más volví a desayunar solo!

¿Está claro?

1 Lee de nuevo el anuncio del perfume y completa.

Te lo regala

a ti

Pídeselo

a

2 ¿Verdadero o falso?

Las cosas claras

1  En grupo. Compra alguna cosa para un compañero de clase.
¿A quién se la regalas y por qué?

traje de torero
prismáticos
bolso
cámara fotográfica
pendientes
cuaderno
reloj
kleenex
gorro navideño
casco de moto
calculadora
flores secas
estufa vieja
tijeras
teléfono
gafas de sol
chicles
mechero

OBJETOS
TODO MUY BARATO

He comprado la tetera y se la regalo a Robin porque le encanta preparar el té.

Para indicar que regalas algo a alguien te será muy útil usar estos pronombres:

Pronombres personales de objeto directo y objeto indirecto		
	Objeto directo	**Objeto indirecto**
(a mí)	me	me
(a ti)	te	te
(a él/ella/Vd.)	lo (*masc.*) / la (*fem.*)	le (→ se)*
(a nosotros/as)	nos	nos
(a vosotros/as)	os	os
(a ellos/as/Vds.)	los (*masc.*) / las (*fem.*)	les (→ se)*

* le/les + lo(s)/la(s)/le(s) → se + lo(s)/la(s)/le(s)
te lo doy → se lo doy

Orden de dos pronombres + verbo

1.º) **Objeto indirecto** + 2.º) **Objeto directo** + verbo

- ***Me lo*** ha dado (el libro).
- ***Te las*** he regalado (las gafas).

• Recuerda que con el imperativo afirmativo, los pronombres van siempre detrás del verbo y forman una sola palabra.
- *Pídeselo a tu vendedor habitual.*

2  Así comenzaron tres historias de amor. Escucha primero las circunstancias de cada una y relaciona. Después, comprueba con la audición completa.

1. ☐ ... la invitó al cine.

2. ☐ ... sintieron que eran más que amigos

3. ☐ ... se decidió a hablar con ella sobre su país.

Para narrar y describir en el pasado, cuando contamos anécdotas y momentos de nuestra vida, usamos el pretérito indefinido y el pretérito imperfecto:

Pretérito indefinido	Pretérito imperfecto
• **Acción / narración** ¿Qué?	• **Circunstancia / descripción** ¿Cómo?
Acciones en orden cronológico - primero, después, entonces...	• **Simultaneidad de acciones** - también se usa *estaba + gerundio.*

- ***Era** una bonita mañana de verano. Como **era** pronto, la playa **estaba** muy tranquila y casi no **había** gente, por eso, **decidimos** ir a pasear un rato.*

• *Sí, entonces **salimos** de casa, **desayunamos** en el bar de abajo y **fuimos** a buscar a Miguel, que **estaba** **desayunando** en la terraza con sus padres.*

---

3 De dos en dos. Y tú, ¿recuerdas en qué circunstancias conociste a tu mejor amigo/a o a tu primer/a novio/a? Cuéntaselo a tu compañero.

4 ¿Cómo fue el día de ayer de Pilar?

*Ayer Pilar **se levantó** tarde porque **tenía** mucho sueño.*

levantarse tarde / tener sueño / estar cansada / tomar un desayuno muy bueno
tomar el metro / haber mucha gente / esperar / llegar tarde a la academia
terminar tarde comer en una hamburguesería / no tener mucho dinero
por la tarde quedarse en casa
estar en la ducha / llamar por teléfono
Pedro querer ir al cine / decir que no / tener otros planes

Estas expresiones te pueden servir para unir las diferentes oraciones de un relato:

porque
pero
por eso
y
cuando

5 Busca entre tus recuerdos del pasado y escribe una anécdota
que recuerdes con mucho cariño. Cuéntasela a tus compañeros.

En otras palabras

1 Janita es una estudiante noruega que acaba de recibir unas fotos de su familia.
Fíjate en cómo nos cuenta sus recuerdos del mar y la montaña.

1   La semana pasada fui a la oficina de Correos para recoger un paquete. Había mucha gente y tuve que hacer cola. Esperé más de media hora y por fin me dieron mi paquete.
5 Eran fotos, muchas fotos. Mi madre me las envió para recordarme de dónde soy, porque sabe que echo de menos mi tierra y el mar...

    No hay mar en Madrid, porque la ciudad
10 está en el centro del país y yo he vivido toda mi vida en la costa de Noruega. Necesito tener el mar cerca, mi padre es pescador y yo también trabajé en un barco de pesca, de los 17 a los 26 años. Ayudaba en las labores
15 de congelación del pescado, no siempre era fácil, pero me gustaba mi trabajo.

    Tomé esta foto en mis últimas vacaciones de Pascua. Ese día, mis padres, mi hermana y yo nos levantamos muy pronto y fuimos
20 a pie a las montañas que hay alrededor de mi ciudad. Subimos hasta la más elevada,

desde allí se veía todo tan limpio y tan claro..., por eso hice esta foto. Ese día no había mucha nieve, pero normalmente hay más de
25 medio metro en esa época del año.

    Para mí, el aire del mar y de las montañas es mejor que cualquier perfume, y cuando veo esta foto siento una sensación de aire fresco en mi cara.

Janita Arhaug

2 Clasifica los pretéritos indefinidos e imperfectos del texto:

Acción / narración *¿Qué?*	Circunstancia / descripción *¿Cómo?*

¿Qué nos traerá el futuro?

¿Empezamos?

 ¿Y cómo lo reconocerás?

¿Y cómo lo reconocerás?

Me llamo Ronald.
Soy Inglés, de Londres.
Me gustaría tener un intercambio inglés-español.
¡Si quieres mejorar tu inglés, llámame!
T. 609 945 549

¡Hola, Laura!

¿Has llamado ya al chico del intercambio de inglés?

Sí, ayer hablé con él...

Nos veremos el viernes, delante del Museo de Arte.

Y, ¿cómo lo reconocerás si nunca lo has visto?

Bueno, me ha dicho que es rubio, alto y con ojos azules. Tiene gafas y lleva un pendiente.

Además, ese día llevará un abrigo azul y una bufanda verde.

Mira, parece una cita a ciegas de una película romántica.

¡Qué gracioso, Carlos! A mí no me parece tan divertido.

Bueno, en serio, si Ronald conoce gente interesada en otro intercambio, dímelo.

A mí también me gustaría mejorar mi inglés.

Sí, en ese caso, le daré tu número de teléfono ...

...y una foto tuya, ¿vale?

Funciones

- Hablar de acciones futuras
- Expresar planes e intenciones
- Expresión de la condición
- Expresión de deseos
- Comentar las impresiones sobre el curso y las expectativas

Gramática

- Futuro imperfecto de indicativo: verbos regulares e irregulares
- *Si* + presente, presente/futuro
- *Si* + presente, imperativo
- *Me gustaría* + infinitivo

Léxico

- Predicciones para el futuro

Cultura

- Las impresiones del curso

¿Está claro?

1 En el texto aparece el tiempo futuro. ¿Qué formas corresponden a estos infinitivos?

1. ver_____

2. reconocer _____

3. llevar _____

4. dar _____

2 ¿Qué crees que es una *cita a ciegas*?

a. Una cita en una habitación sin luz.

b. El primer encuentro de dos personas que no se conocían.

c. Una reunión de trabajo.

3 Después de leer la historia, ¿cómo explicas lo que es un intercambio?

Me llamo Ronald.
Soy Inglés, de Londres.
Me gustaría tener un intercambio inglés-español.
¡Si quieres mejorar tu inglés, llámame!
000 045 549

Las cosas claras

1 🎧 **36** Éstas son las predicciones de un futurólogo para tres historias diferentes, pero no están ordenadas. Escucha los tres casos y señala a cuál de ellos corresponde cada dibujo.

Para hablar de acciones futuras, podemos usar el futuro de indicativo:

FUTURO IMPERFECTO DE INDICATIVO: verbos regulares		FUTURO IMPERFECTO DE INDICATIVO: verbos irregulares			
trabajar ver escribir	-é -ás -á -emos -éis -án	decir → **dir**-é haber → **habr**-é hacer → **har**-é poner → **pondr**-é poder → **podr**-é		querer → **querr**-é saber → **sabr**-é salir → **saldr**-é tener → **tendr**-é venir → **vendr**-é	

2  **De dos en dos. ¿Cuáles son tus intenciones y planes para el futuro? Coméntalos con tu compañero.**

"A Dios pongo por testigo de que nunca más volveré a pasar hambre."

Para expresar planes e intenciones, podemos usar el futuro de indicativo:

*Este verano **estudiaré** español todos los días*

3 **Lee estas opiniones de algunos estudiantes de español sobre cómo aprenden mejor. ¿Qué piensas tú?**

Si te comunicas con hablantes nativos, aprenderás más rápido y mejor.

Ahora puedo hablar mejor, pero me gustaría tener más vocabulario. Si sabes más palabras, es más fácil hablar.

Creo que puedo leer y entender los textos más que antes, pero cuando la gente habla es más difícil: puedo hablar despacio, pero no puedo escuchar despacio.

Para expresar condiciones, podemos usar esta estructura:

Si + presente, presente / futuro

Si *estudias* mucho, **mejoras / mejorarás** tu español.

Si + presente, imperativo

Si *llegas* antes de las doce, **llámame** al móvil.

Para expresar deseos, podemos utilizar:

Me gustaría + infinitivo

Me gustaría mejorar mi español.

4   **En grupo. ¿Qué titulares os gustaría leer en el periódico de mañana?**

Martes, 24 de junio de 2008 — NACIONAL

SOLIDARIDAD

Una ONG abrirá pisos para las mujeres inmigrantes con hijos pequeños.

Martes, 24 de junio de 2008 — INTERNACIONAL

Martes, 24 de junio de 2008 — SOCIEDAD

Martes, 24 de junio de 2008 — CULTURA

Martes, 24 de junio de 2008 — DEPORTES

En otras palabras

¿Qué tal llevas el curso?

Estimado/a estudiante:

En estos momentos, estás leyendo la última unidad del primer bloque de ELEXPRÉS: la unidad 15. Creemos que ya has alcanzado un nivel inicial de español y que te vas sintiendo más seguro a la hora de comunicarte: cuando te expresas, escuchas, hablas con otras personas, cuando escribes o cuando lees. Por eso, es un buen momento para pensar en todo lo que has aprendido y en lo que vas a seguir aprendiendo.

Sabemos que, con la ayuda de tu profesor/a y de otros muchos recursos (diccionarios, internet, CD con audio, etc.), has podido trabajar mucho y has descubierto muchos aspectos nuevos de la lengua y la cultura de España y de los países donde se habla español.

Queremos decirte que todavía te esperan las unidades del segundo bloque, con muchos contenidos y muchos materiales para seguir aprendiendo. Desde la unidad 16, tendrás dos páginas más para aprender en cada unidad, con más textos, más oportunidades para desarrollar tu escritura y una autoevaluación para observar lo que llevas mejor y lo que necesitas repasar.

¡Mucho ánimo! ¡Lo estás haciendo muy bien!

Un saludo de las autoras de ELEXPRÉS,
Alicia y Raquel

1 **Después de leer la carta, comenta con tus compañeros tus impresiones sobre tu progreso en español, así como tus expectativas sobre el resto del curso.**

Unidades 12-15

CUÉNTAME

1 Reconstruye esta anécdota que contó una actriz española en un programa de televisión. Tienes que conjugar los verbos entre paréntesis en pretérito indefinido o pretérito imperfecto.

2 Elige una de estas fotos. ¿Te trae algún recuerdo? Cuéntaselo al resto de tus compañeros, ellos harán lo mismo.

3 Recuerda que esta es la última unidad de la primera parte del curso. Compara lo que antes sabías y hacías en español y lo que sabes y haces ahora. ¿Qué te gustaría conseguir al final del curso? Coméntalo con tu compañero.

ANTES...	AHORA...	EN EL FUTURO, ME GUSTARÍA
No conocía mucho sobre la cultura de los países donde se habla español.	Conozco y entiendo muchas cosas de su cultura.	Viajar a otros países donde se habla español, como Argentina o Chile.

AUTOEVALUACIÓN

Contesta a estas preguntas. Después, compara tus respuestas con las de tu compañero.

1 Pretérito imperfecto del verbo *ver*.

2 ¿Cómo se dice en español?

3 ¿A quién se las regalarías?

4 ¿Cuál es tu mejor recuerdo de pequeño/a?

5 Elige la opción correcta:

ser/estar ocupado/a

ser/estar cansado/a

6 ¿Cómo se llama este alimento?

7 Completa: Si apruebo el curso con buena nota, _____.

8 ¿En qué consiste una "cita a ciegas"?

9 Imperativo del verbo *escribir*.

10 Explica quiénes son los Reyes Magos.

11 Futuro del verbo *decir*.

12 Las próximas vacaciones, me gustaría...

13 ¿En qué consiste un "intercambio" de idiomas?

14 ¿Qué solías hacer en verano cuando eras pequeño/a?

15 ¿Qué es un *contestador automático*?

16 Imperativo del verbo *hacer*.

17 Completa: Ayer me levanté muy tarde porque _____.

18 Futuro del verbo *poner*.

19 Di el nombre de tres alimentos integrales.

20 ¿Cómo eras antes y cómo eres ahora?

¿QUÉ SÉ HACER?

Señala todas las actividades que ya puedes hacer. Si no recuerdas alguna, vuelve a la unidad de referencia y repásala.

COMPRENSIÓN ESCRITA

¿Qué sabes hacer...?

☐ Soy capaz de leer y entender un texto descriptivo-narrativo sencillo y contestar a algunas preguntas sobre él (12).

☐ Puedo identificar el formato de un anuncio y entender algunas palabras relevantes (13 y 14).

☐ Soy capaz de interpretar y contestar de forma breve a un test, por ejemplo, sobre alimentos (13).

☐ Puedo identificar el titular de una noticia de periódico (15).

COMPRENSIÓN AUDITIVA

¿Qué puedes entender...?

☐ Soy capaz de entender de manera general el relato de un recuerdo breve sobre el pasado (12 y 14).

☐ Identifico y entiendo las expresiones lingüísticas habituales que se utilizan en las conversaciones telefónicas (13).

☐ Comprendo informaciones sencillas por vía telefónica, como un número de teléfono (13).

☐ Soy capaz de identificar las circunstancias que inician relatos breves sobre el pasado (14).

☐ Reconozco expresiones relacionadas con el futuro cuando escucho un texto, por ejemplo, sobre predicciones (15).

☐ Identifico en diálogos breves términos relacionados con un intercambio de idiomas e impresiones sobre un curso de lengua como éste (15).

EXPRESIÓN ORAL

¿Qué puedes expresar...?

☐ Soy capaz de hablar sobre mis recuerdos (12 y 14).

☐ Puedo hablar de manera básica sobre acciones habituales que realizaba en el pasado (12).

☐ Soy capaz de describir personas, cosas y lugares del pasado (12 y 14).

☐ Puedo hacer recomendaciones y dar órdenes sencillas (13).

☐ Puedo expresar el contraste entre lo que hacía habitualmente y lo que hice en un momento concreto del pasado (14).

☐ Soy capaz de hablar de forma sencilla sobre una foto (14).

☐ Puedo hablar de acciones futuras, así como de planes e intenciones (15).

☐ Puedo expresar deseos con expresiones sencillas como me gustaría... (15).

☐ Soy capaz de expresar condiciones de manera sencilla (15).

INTERACCIÓN ORAL

¿Qué puedes hacer...?

☐ Puedo preguntar a otro de forma sencilla sobre alguno de sus recuerdos y comentarle los míos (12).

☐ Soy capaz de pedir información básica por teléfono, por ejemplo, un número de teléfono determinado (13).

☐ Puedo pedir y dar permiso con instrucciones breves y fáciles (13).

☐ Puedo mantener un diálogo sencillo con otra persona sobre anécdotas personales (14).

☐ Soy capaz de preguntar por planes e intenciones de otra persona y contar los míos (15).

☐ Puedo preguntar y expresar mis impresiones y expectativas generales sobre el curso (15).

EXPRESIÓN ESCRITA

¿Qué puedes hacer...?

☐ Soy capaz de escribir un texto breve para contar cómo era de pequeño y lo que hacía (12).

☐ Puedo escribir un texto breve para grabarlo después en mi mensaje de contestador automático (13).

☐ Soy capaz de escribir una anécdota breve de mi pasado, uniendo las frases con expresiones como porque, por eso, cuando... (14).

☐ Puedo escribir un texto breve para contar algo sobre una foto (14).

☐ Puedo elaborar un titular para una noticia de periódico (15).

A-Z Soy capaz de utilizar y comprender vocabulario sobre los siguientes temas:

☐ Momentos de la vida de una persona (12 y 14).

☐ Recuerdos infantiles (12 y 14).

☐ Tradiciones navideñas, como los Reyes Magos (12).

☐ Expresiones relacionadas con el teléfono (13).

☐ Nombres de alimentos (13).

☐ Objetos que se venden en un mercadillo (14).

☐ El futuro y las predicciones (15).

☐ Opiniones y expectativas sobre un curso de idiomas (15).

Funciones

▸ Hablar y preguntar sobre hábitos
▸ Ordenar una historia en el tiempo
▸ Expresar opiniones

Gramática

▸ Repaso del presente de indicativo de todos los verbos:
  - regulares
  - irregulares
▸ Verbos *poner/quitar; encender/ apagar*

Léxico

▸ Partes del día y horas
▸ Comidas y bebidas

Cultura

▸ Fiestas populares
▸ Costumbres y tradiciones
▸ Ciudades de España

¿Empezamos?

 ¿Dónde has estado?

Laura: ¡Cuánto tiempo sin veros!, ¿no?
Sonia: Sí, sí, hace bastante que no venimos por aquí...
Manuel: Es que hemos estado fuera... Este fin de semana hemos ido a Valencia, a las Fallas.
Laura: ¿Ah, sí? ¿Y qué tal?
Sonia: Muy bien. Fenomenal.
Manuel: Nos quedamos en casa de Luis y nos llevó a ver la "cremá" de las Fallas. Impresiona mucho ver cómo arden esas figuras tan grandes.
Sonia: Para mí, hay demasiado ruido. Lo mejor es que también se puede ir a la playa, comer paella..., eso sí me gusta.
Laura: Pues a mí me encantan las Fallas y siempre que puedo voy... Por cierto, ¿sabes que en febrero estuve en Cádiz?
Sonia: ¿En Carnaval?
Laura: Sí, y me lo pasé fenomenal. Todo el mundo se disfraza, es divertidísimo. Hay un montón de gente, y también se puede ir a la playa, pero nosotros no nos bañamos.
Manuel: Oye, ¿por qué no os venís a Sevilla? Estamos pensando en ir a la Feria de Abril.
Laura: Mmmm... Es que... el flamenco no me va mucho..., ni sé bailar sevillanas... No sé, podemos pensar algo para este verano. Yo todos los años voy a Buñol, en Valencia, es genial, lanzar tomates relaja muchísimo.
Manuel: Sí, sí... yo quiero probar.
Sonia: Yo también, yo también.
Laura: Pues nada, este año todos a Buñol.

¿Está claro?

1 ¿Dónde y cuándo crees que se celebran estas fiestas? Habla con tu compañero y marca las ciudades en el mapa.

1. Las Fallas 3. La Feria de Abril
1. El Carnaval 4. La Tomatina

2 Señala los verbos en presente que aparecen en el diálogo y clasifícalos.

REGULARES	IRREGULARES

3 Completa con la información de ¿Empezamos?

En Valencia, durante las Fallas,_____ figuras satíricas de políticos, toreros, etc., hechas de papel. La gente _____ a la playa y _____ paella, un plato típico de esa zona.

En Carnaval, mucha gente_____ .

En la Feria de Abril, la gente_____ sevillanas y se viste con un traje típico.

Jóvenes de todo el mundo van a Buñol para participar en la Tomatina, una batalla en la que se_____ toneladas de tomates.

Las cosas claras

1 De dos en dos. Selecciona cinco fiestas o días festivos y pregunta a tu compañero.

¿Qué hace la gente...?

¡Ojo!

La gente **regala** un libro...

(el verbo siempre en **singular**)

1. el último día del año
2. el Día del Padre / de la Madre
3. el Día del Libro
4. el Día de la Fiesta Nacional
5. en Semana Santa
6. el Día de los Museos
7. el Día de San Valentín
8. el Día del Trabajo
9. el Día de los Muertos

Presente de indicativo

Para hablar sobre hábitos utilizamos el presente de indicativo:

VERBOS REGULARES EN -AR / -ER / -IR

	lanzar	comer	vivir
(yo)	lanz**o**	com**o**	viv**o**
(tú)	lanz**as**	com**es**	viv**es**
(él/ella, Vd.)	lanz**a**	com**e**	viv**e**
(nosotros/as)	lanz**amos**	com**emos**	viv**imos**
(vosotros/as)	lanz**áis**	com**éis**	viv**ís**
(ellos/as, Vds.)	lanz**an**	com**en**	viv**en**

VERBOS IRREGULARES

	estar	ir	ser	decir	tener	oír	venir
(yo)	estoy	voy	soy	d**i**go	tengo	oigo	vengo
(tú)	estás	vas	eres	d**i**ces	t**ie**nes	o**y**es	v**ie**nes
(él/ella, Vd.)	está	va	es	d**i**ce	t**ie**ne	o**y**e	v**ie**ne
(nosotros/as)	estamos	vamos	somos	decimos	tenemos	oímos	venimos
(vosotros/as)	estáis	vais	sois	decís	tenéis	oís	venís
(ellos/as, Vds.)	están	van	son	dicen	t**ie**nen	o**y**en	v**ie**nen

VERBOS IRREGULARES CON CAMBIO VOCÁLICO

	e>ie	o>ue	e>i
(yo)	qu**ie**ro	p**ue**do	p**i**do
(tú)	pref**ie**res	s**ue**les	s**i**gues
(él/ella, Vd.)	se desp**ie**rta	se ac**ue**sta	se v**i**ste
(nosotros/as)	pensamos	dormimos	elegimos
(vosotros/as)	entendéis	volvéis	conseguís
(ellos/as, Vds.)	c**ie**rran	rec**ue**rdan	rep**i**ten

Otros verbos con cambio vocálico:

e>ie: com**e**nzar, div**e**rtirse, emp**e**zar, enc**e**nder, fr**e**gar, m**e**ntir, p**e**rder, s**e**ntarse, s**e**ntir...

o>ue: c**o**ntar, d**o**ler, enc**o**ntrar, ll**o**ver, m**o**rir, m**o**strar, m**o**ver, pr**o**bar...

e>i: corr**e**gir, desp**e**dir, s**e**rvir...

Sólo la 1.ª persona del singular es irregular

caerse	me caigo
hacer	hago
traer	traigo
valer	valgo
saber	sé
dar	doy
ver	veo
poner	pongo
salir	salgo

Cambios gráficos

c>cz: condu**c**ir > condu**zc**o, cono**c**er > cono**zc**o, obede**c**er > obede**zc**o, produ**c**ir > produ**zc**o, tradu**c**ir > tradu**zc**o

g>j: co**g**er > co**j**o, diri**g**ir > diri**j**o, ele**g**ir > eli**j**o, corre**g**ir > corri**j**o

i>y: constr**u**ir > constru**y**o destr**u**ir > destru**y**ó

2 02 **Escucha y completa la ficha.**

Fecha: _____

Lugar: _____

Actos religiosos: _____

Lo más típico: _____

Duración: _____

Requisitos: _____

Y ahora, cuéntaselo a tu compañero.

3 **De dos en dos. Vamos a describir lo que hace Francisco, un corredor profesional de los Sanfermines.**

Primero, relaciona estas palabras que usarás después, ¿qué combinaciones son posibles?

1. poner   **a.** el despertador

2. sonar   **b.** la radio

3. quitar   **c.** la televisión

4. encender   **d.** la mesa

5. hacer   **e.** gimnasia

6. apagar

Durante una semana entera Francisco corre en los encierros de San Fermín. Cada día...

Elige una escena. Descríbela, pero sin decir cuál es. Tu/s compañero/s tiene/n que adivinarla.

4 **De dos en dos. Elige una de las fiestas españolas. Imagina que vas todos los años y cuéntale a tu compañero lo que haces, cómo se divierte la gente, etc. Luego, pregúntale a él.**

Por la mañana..   Después...   Por la tarde...   Luego...   Por la noche...   A las 10 de la noche...

Visita: www.sanfermin.com

1 📖 **Fíjate en las fechas y ordena los párrafos de este texto sobre cómo se celebra la Navidad en España.**

Al día siguiente, es típico tomar, para desayunar o después de comer, roscón de Reyes, un tipo de dulce con forma de anillo, decorado con trozos de frutas y que esconde una pequeña sorpresa entre la masa. ☐

En muchos hogares es el momento de colocar el belén –figuritas que representan los personajes relacionados con el nacimiento de Jesús–, el árbol de Navidad o, simplemente, adornar la casa con luces y cintas de colores. ☐

El día **28 de diciembre** es el día de los Santos Inocentes, que recuerda la matanza de niños cometida por el rey Herodes en Judea. En España, los periódicos de ese día suelen publicar alguna noticia falsa. Es el día de las bromas generalizadas. ☐

La noche del **24 de diciembre** es conocida como Nochebuena –según la religión católica se celebra el nacimiento de Jesús–. Toda la familia suele reunirse para cenar algo especial, cantar villancicos, beber cava y tomar turrón, mazapán, etc. Los más pequeños salen a pedir el aguinaldo a las casas de los vecinos: cantan villancicos, acompañados de zambomba y pandereta, a cambio de unas monedas. Al día siguiente es Navidad y la familia vuelve a reunirse para comer. ☐

La noche del **5 de enero**, como nos contó Carolina, los Reyes Magos llegan a España y traen regalos a los niños que se han portado bien durante el año, y carbón a los que se han portado mal. ☐

La Navidad, en España, empieza el día **22 de diciembre**, día del Sorteo Extraordinario de la Lotería. Durante cinco horas, la televisión y la radio retransmiten el sorteo y todo el mundo está pendiente de los niños del Colegio San Ildefonso de Madrid, que son quienes cantan los números ganadores. El primer premio, conocido como "El Gordo", reparte 2 000 000 de euros. ☐

El último día del año, el **31 de diciembre**, se celebra la Nochevieja. Después de cenar con la familia o un grupo de amigos, a medianoche, millones de españoles comen las doce uvas mientras el reloj de la Puerta del Sol de Madrid da las doce campanadas. La noche continúa en una fiesta llamada *cotillón de fin de año*. ☐

VOCABULARIO

Vino espumoso _____

Dulces típicos de _____

Primer premio de la lotería _____

El aguinaldo es _____

El 31 de diciembre es _____

2 📖 🙂 **Contesta a estas preguntas relacionadas con el texto anterior. Pregunta a tu compañero.**

a. ¿Cómo decoran los españoles sus casas durante la Navidad?

b. ¿Qué día suelen mentir los medios de comunicación? ¿Cuál podría ser uno de esos titulares?

c. ¿Conoces algún plato típico de Navidad? ¿Qué se come en tu país?

d. Durante la Navidad, ¿cuáles crees que son los días festivos en España?

e. ¿Crees que la Navidad, hoy en día, es una fiesta más comercial que religiosa?

3 **Haz una lista de costumbres festivas de tu país. Compárala con la de tu compañero y, luego, con las costumbres españolas. ¿Hay muchas diferencias? ¿Cuáles?**

AUTOEVALUACIÓN

1 La Feria de Abril .... el día 15 de abril.
a. ☐ empezan
b. ☐ empieca
c. ☑ empieza

2 Las sevillanas son un tipo de ....
a. ☐ comida.
b. ☑ baile.
c. ☐ traje.

3 Las Fallas .... su origen en las hogueras que hacían los carpinteros en el siglo xiv.
a. ☑ tienen
b. ☐ tenen
c. ☐ empiezan

4 Las Fallas y la Feria de Abril celebran el inicio ....
a. ☑ del verano.
b. ☑ de la primavera.
c. ☐ el invierno.

5 Cádiz está en el .... de España y es famosa por su ....
a. ☐ norte / vino.
b. ☐ oeste / Carnaval.
c. ☑ sur / Carnaval.

6 La fiesta de Buñol (Valencia) se llama ....
a. ☐ Catarsis del tomatazo.
b. ☐ Tomatazo.
c. ☑ Tomatina.

7 En la fiesta de Buñol la gente .... miles de tomates.
a. ☑ lanza
b. ☐ come
c. ☐ planta

8 En los Sanfermines, ... correr mucha gente joven.
a. ☐ tienen que
b. ☑ suele
c. ☐ suelen

9 ¿............... cuánto .... pesar un toro? Pues, unos 600 kilos.
a. ☐ Sés / puede
b. ☐ Recuerdas / podes
c. ☑ Sabes / puede

10 Antes de correr, los mozos .... la bendición a San Fermín.
a. ☑ piden
b. ☐ pieden
c. ☐ pueden

11 Cuando tengo vacaciones me .... y .... tarde.
a. ☑ acuesto / me levanto
b. ☐ acosto / acordo
c. ☐ duermo / me encuentro

12 *Poner y quitar* la televisión significan, respectivamente,
a. ☐ colocar y limpiar.
b. ☑ encender y apagar.
c. ☑ apagar y encender.

13 Llevar mantel, servilletas, platos, vasos, cubiertos a la mesa es lo mismo que ....
a. ☑ arreglar la mesa.
b. ☐ llenar la mesa.
c. ☑ poner la mesa.

14 Estoy cansado. No me apetece .... los deberes / gimnasia / la comida / la cama.
a. ☑ hacer
b. ☐ tener
c. ☐ realizar

15 Normalmente no .... la radio, ni .... la tele. .... leer el periódico.
a. ☐ oyo / vo / Prefero
b. ☑ oigo / veo / Prefiero
c. ☐ oio / veo / Prefiero

16 La Navidad, tal como la .... hoy, ... una creación del siglo xix.
a. ☐ conocí / somos
b. ☑ conocemos / es
c. ☐ conoze / se

17 ¿Quién/es trae/n, generalmente, los regalos de Navidad en España?
a. ☐ Los Reyes de España.
b. ☐ San Nicolás.
c. ☑ Los Reyes Magos.

18 En Navidad, los españoles brindan con ....
a. ☑ cava.
b. ☐ sangría.
c. ☐ cerveza.

19 En Nochevieja, los españoles toman doce ....
a. ☐ cucharadas de lentejas.
b. ☐ copas de cava.
c. ☑ uvas.

20 El *cotillón* es:
a. ☐ una persona muy curiosa.
b. ☑ la fiesta de Nochevieja.
c. ☐ una fiesta.

17 Vamos a recordar el pasado

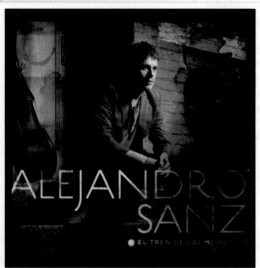

"Estoy más viejo. Me <u>han regalado</u> un Scalextric* y no lo he abierto todavía."

"No domino el flamenco, pero en estos últimos años <u>he aprendido</u> mucho."

"Las canciones de este disco las <u>he compuesto</u> sin miedos, sin complejos."

*Scalextric: nombre comercial de un juego eléctrico de carreras de coches

Funciones

▶ Referirse a acciones pasadas recientes

▶ Referirse a momentos pasados: pasados lejanos/períodos de tiempo terminados

Gramática

▶ Repaso de los tiempos de pasado de indicativo:

- pretérito perfecto

- pretérito indefinido

Léxico

▶ Estilos musicales

Cultura

▶ El cantante español Alejandro Sanz

▶ La cantante colombiana Shakira

¿Empezamos?

1 Lee las afirmaciones del cantante español Alejandro Sanz, en una entrevista sobre su disco *El tren de los momentos* (2006).

Fíjate en los verbos que aparecen subrayados. ¿Recuerdas de qué tiempo de pasado se trata? ¿Cómo se forma?

2 ¿Quieres conocer algo más personal sobre Alejandro Sanz? Escucha estos datos de su biografía. Recuerda que en este tipo de textos se usa el pretérito indefinido.

1 Su nombre completo es Alejandro Sánchez Pizarro y nació en Madrid el 18 de diciembre de 1968. Su primer juguete fue uno de piezas pequeñas para construir castillos. A los siete años, sus padres le regalaron una guitarra.

Cuando Alejandro empezó a ganar dinero, compró un coche de lujo a su padre y 5 montó una peluquería para su madre.

Siente pasión por la lectura —entre sus autores favoritos están Gustavo Adolfo Bécquer, Pablo Neruda y Gabriel García Márquez— y sus ciudades españolas favoritas son Madrid y Sevilla.

Alejandro se casó en el año 2000 con la modelo mexicana Jaydy Mitchel y al año 10 siguiente nació su hija Manuela. Él y su mujer declararon entonces: "Manuela es lo mejor que nos ha pasado en la vida". En 2005, cinco años después, se separaron.

Alejandro Sanz ha conseguido vender más de veintiún millones de discos a lo largo de su carrera y ha superado la marca de "Número 1" en ventas de discos, en manos de Julio Iglesias. Sin duda, Alejandro Sanz es el cantante español no solo 15 de los 90, sino también del siglo XXI.

Si quieres saber más sobre Alejandro Sanz, puedes consultar su página oficial: www.alejandrosanz.com

¿Está claro?

1 📖 **Vuelve a leer las afirmaciones del ejercicio 1 de la página anterior. Relaciónalas con los siguientes deseos:**

	V	F	No sé
1. Ya ha perdido sus ilusiones infantiles.	☐	☐	☐
2. Ahora no tiene tiempo para juegos de niños.	☐	☐	☐
3. Han cambiado sus gustos sobre los regalos que le hacen.	☐	☐	☐

2 **¿Con qué expresiones temporales del cuadro azul relacionarías estas dos afirmaciones?**

1. Alejandro Sanz empezó a ganar dinero...

2. Alejandro Sanz ha superado las ventas de discos de Julio Iglesias...

- en 1990
- hace siete años
- ya
- todavía no
- esta semana
- en estos últimos días

3 **¿Recuerdas la morfología de los verbos regulares en pretérito indefinido? Ayúdate con la lectura de la biografía de Alejandro Sanz.**

PRETÉRITO INDEFINIDO: verbos regulares

	regalar (-ar)	nacer (-er)	vivir (-ir)
(yo)	regal - **é**	nac -	viv -
(tú)	regal -	nac -	viv - **iste**
(él/ella, Vd.)	regal -	nac - **ió**	viv -
(nosotros/as)	regal -	nac -	viv -
(vosotros/as)	regal -	nac - **isteis**	viv -
(ellos/as, Vds.)	regal - **aron**	nac -	viv - **ieron**

Las cosas claras

1 🔄 **De dos en dos. Vas a conocer un poco mejor a tu compañero. Pregúntale y responde a sus preguntas.**

a. ¿Cuánto tiempo has estudiado español antes de este curso?

b. ¿Qué niveles de español has superado?

c. ¿Qué te han parecido las clases de esta semana?

d. ¿Has estado alguna vez en un país donde se hable español?

e. ¿Últimamente has leído libros en español?

f. ¿Has visto alguna película española en estos meses?

g. ¿Tienes amigos que hablen español? ¿Os habéis escrito últimamente?

h. ¿Has escuchado alguna canción de Alejandro Sanz?

i. ¿Qué sabes de la música en español?

Recuerda que para referirnos a acciones pasadas recientes, utilizamos el pretérito perfecto.

	Presente de *haber*	participio pasado
(yo)	he	
(tú)	has	- ar > -ado / regalado
(él/ella, Vd.)	ha	+ - er > -ido / perdido
(nosotros/as)	hemos	- ir / partido
(vosotros/as)	habéis	
(ellos/as, Vds.)	han	

Recuerda que con estas **expresiones temporales** solemos usar el pretérito perfecto:

Hoy. Este mes. Ya/todavía no. Hace poco. Alguna vez/nunca.

Ejemplo: – Esta semana no hemos tenido clase de música.

2 ¿Qué tipo de música creéis que le gusta a cada una de estas personas? ¿En qué os basáis para defender vuestra opinión?

rap y hip-hop

rock

pop

salsa

flamenco

cantautores

jazz

clásica

3 De dos en dos. El viernes pasado fue la final de la Eurocopa de fútbol. Imagina que tu compañero y tú fuisteis, pero por separado. ¿Qué hiciste a lo largo del día? ¿Y tu compañero?

Solemos introducir nuestra opinión con expresiones como estas.

En mi opinión, ...
Para mí, ...
Yo creo que + indicativo

Ejemplo:
– *En mi opinión, a la persona de la foto 2 le gusta la música...*

Viaje
Comidas
Amigos
Compras
Entradas
Camisetas y bufandas
Fiesta

Recuerda que para hablar de pasados lejanos y períodos de tiempo terminados usamos el pretérito indefinido. Aquí tienes algunos verbos irregulares muy frecuentes:

	dar	poner	venir	querer	saber
(yo)	di	puse	vine	quise	supe
(tú)	diste	pusiste	viniste	quisiste	supiste
(él/ella, Vd.)	dio	puso	vino	quiso	supo
(nosotros/as)	dimos	pusimos	vinimos	quisimos	supimos
(vosotros/as)	disteis	pusisteis	vinisteis	quisisteis	supisteis
(ellos/as, Vds.)	dieron	pusieron	vinieron	quisieron	supieron

4 **¿Sabes quién es Joaquín Cortés? El mes pasado estuvo de gira por Japón. ¿Puedes imaginar su agenda?**

1   El "bailaor" y coreógrafo español Joaquín Cortés consiguió un gran éxito en sus actuaciones del mes pasado por distintas ciudades de Japón.

    Invitado por el Instituto Cervantes, la presencia de Joaquín Cortés sirvió para apoyar la difusión del flamenco en el país nipón, tan interesado
5 por la lengua y la cultura españolas.

    También tuvo tiempo para visitar algunos lugares turísticos y disfrutó, sin duda, de los muchos atractivos del País del Sol Naciente.

Lunes	
	Llegada a Osaka
Martes	
Miércoles	
	Concierto en Kyoto
Jueves	
Viernes	
Sábado	
Domingo	
	Concierto en Tokio

5 04 **De dos en dos. Sara cuenta a Pedro lo que escuchó en un programa de radio sobre ese viaje. Compara con tu versión y con la de tu compañero.**

En otras palabras

Shakira es una joven cantante colombiana reconocida en todo el mundo. Su estilo fresco y su voz, rica en matices, han hecho de ella una de las cantantes latinas con más proyección internacional. Lee este texto que nos descubre algunos de los datos más significativos de su carrera musical.

1   SHAKIRA ISABEL MEBARAK RIPOLL nació el 2 de febrero de 1977 en la ciudad de Barranquilla (Colombia), de madre colombiana y padre de ascendencia libanesa. Con ocho años, compuso su primera canción y empezó su trayectoria musical, acompañada por sus padres, en programas de televisión y radio. Durante tres años <u>consecutivos</u>,
5   ganó un concurso regional en el canal de televisión colombiano *Telecaribe*.

En 1991, con tan solo trece años, firmó su primer contrato con la compañía discográfica Sony Music, y de allí salieron sus dos primeros discos: *Magia*, ese mismo año, y *Peligro*, dos años más tarde, en 1993.

A sus dieciocho años, el éxito de su siguiente disco, *Pies descalzos*, cambió
10   por completo su existencia, ya que supuso su lanzamiento internacional. Desde entonces, los aeropuertos y los hoteles de todo el mundo han sido su segundo hogar. Emilio Estefan, conocido <u>cazatalentos</u> de la música latina, ubicado en Miami, fue el <u>productor</u> ejecutivo de su <u>álbum</u> *¿Dónde están los ladrones?*, y la propia Shakira actuó como productora artística.

15   En el año 2000, su disco *Shakira MTV Unplugged* ganó el premio Grammy como Mejor Álbum de Pop Latino, y sirvió de plataforma para su <u>debut</u> en inglés. En el año 2005, Shakira se lanzó a la aventura de grabar un mismo disco en español (*Fijación oral*) y en inglés (*Oral fixation*).

Shakira no ha olvidado nunca a los más desfavorecidos; por eso, en 1995, creó
20   la Fundación Pies descalzos (*www.piesdescalzos.com*) y colabora con distintas organizaciones benéficas.

1 ¿Qué significan las palabras subrayadas? Relaciona las dos columnas.

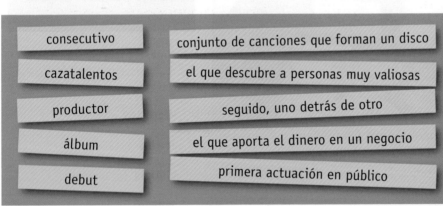

consecutivo — conjunto de canciones que forman un disco

cazatalentos — el que descubre a personas muy valiosas

productor — seguido, uno detrás de otro

álbum — el que aporta el dinero en un negocio

debut — primera actuación en público

2 ¿Crees que esta información sobre Shakira es falsa o verdadera? Discútelo con tus compañeros.

	V	F	No sé
a. Fue recibida por el desaparecido Papa Juan Pablo II, en 1998.	☐	☐	☐
b. Ha sido nombrada embajadora de Unicef.	☐	☐	☐
c. Tituló uno de sus discos *¿Dónde están los ladrones?* ya que le robaron la maleta con la letra de sus canciones.	☐	☐	☐
d. Su nombre significa "llena de gracia" en árabe.	☐	☐	☐

3 Si quieres comprobar los datos del ejercicio anterior, consulta su página oficial: www.shakira.com.

AUTOEVALUACIÓN

1 Este año mi novio ....
   a. ☐ ha trabajado en una compañía discográfica.
   b. ☐ trabajaba en una compañía discográfica.
   c. ☐ estaba trabajando en una compañía discográfica.

2 El mes pasado .... al concierto de Shakira.
   a. ☐ fuimos
   b. ☐ hemos ido
   c. ☐ íbamos

3 Alejandro Sanz .... en 1968.
   a. ☐ nació
   b. ☐ ha nacido
   c. ☐ nací

4 *José todavía no ha llegado* significa:
   a. ☐ José ya está aquí.
   b. ☐ José no está aquí.
   c. ☐ José ha llegado ahora mismo.

5 El participio del verbo *componer* es:
   a. ☐ componido.
   b. ☐ compuesto.
   c. ☐ componiendo.

6 El participio del verbo *leer* es:
   a. ☐ leído.
   b. ☐ lido.
   c. ☐ leedo.

7 La 1.ª persona (yo) del pretérito indefinido del verbo *saber* es:
   a. ☐ sapí.
   b. ☐ sabí.
   c. ☐ supe.

8 Ayer me .... que mañana no hay clase.
   a. ☐ dijeron
   b. ☐ dijieron
   c. ☐ dicieron

9 Nosotros no .... entradas para el concierto de la semana pasada.
   a. ☐ consegimos
   b. ☐ conseguíamos
   c. ☐ conseguimos

10 Últimamente no .... música en español.
   a. ☐ he escuchado
   b. ☐ escuché
   c. ☐ había escuchado

11 El sábado por la tarde no .... ir al cine.
   a. ☐ podimos
   b. ☐ pudimos
   c. ☐ pudemos

12 Creo que Joaquín Cortés nunca .... en Tokio.
   a. ☐ actuó
   b. ☐ ha actuado
   c. ☐ estuvo actuando

13 ¿Qué es un *Scalextric*?
   a. ☐ Un videojuego.
   b. ☐ Un juego eléctrico de carreras de coches.
   c. ☐ Un tipo de ordenador.

14 El primer apellido real de Alejandro Sanz es:
   a. ☐ Sanz.
   b. ☐ Sánchez.
   c. ☐ Santos.

15 El flamenco es:
   a. ☐ sólo un baile.
   b. ☐ es cante, música y baile.
   c. ☐ es el nombre de un instrumento musical.

16 El nombre *Pies descalzos* se refiere a:
   a. ☐ una tienda de zapatos.
   b. ☐ un juego infantil.
   c. ☐ una fundación benéfica.

17 La nacionalidad de Shakira es:
   a. ☐ española.
   b. ☐ mexicana.
   c. ☐ colombiana.

18 Shakira ganó un concurso durante tres años ....
   a. ☐ alternos.
   b. ☐ consecutivos.
   c. ☐ bisiestos.

19 Un *cazatalentos* es:
   a. ☐ un cazador muy inteligente.
   b. ☐ un comprador compulsivo.
   c. ☐ un descubridor de personas con talento.

20 Ya .... los ejercicios de esta Autoevaluación y lo .... muy bien.
   a. ☐ terminé / he hecho
   b. ☐ he terminado / he hecho
   c. ☐ he terminado / hice

18 Vamos a recordar el pasado: los viajes

Funciones

▷ Usos principales del pretérito imperfecto

▷ Referirse a acciones pasadas anteriores a otras acciones pasadas o presentes

Gramática

▷ Repaso del pretérito imperfecto de indicativo

▷ El pretérito pluscuamperfecto

Léxico

▷ Viajes y desplazamientos

▷ Vacaciones

Cultura

▷ La dibujante argentina Maitena

¿Empezamos?

1 ¿Conoces algún rascacielos? ¿Crees que son construcciones modernas? Lee este texto para descubrir la respuesta.

1   Los rascacielos de Roma, en época del emperador Domiciano (s. I), se llamaban *insulae* –palabra latina que significa *islas*– porque se levantaban como islas en medio de un mar de casas bajas, y podían tener hasta seis pisos de altura.

5   Ya antes del Imperio romano, se habían construido rascacielos, los zigurats babilónicos –pirámides escalonadas, inspiradoras, probablemente, de la Torre de Babel–, aunque no con el sentido de edificios de vecinos y oficinas que hoy tienen para nosotros los rascacielos, y que ya tenían en Roma.

     Los propietarios de las *insulae* romanas eran sociedades inmobiliarias que
10 cobraban un alto alquiler a los inquilinos y que no cuidaban demasiado las medidas de seguridad del edificio.

¿A qué tiempo verbal corresponden las formas subrayadas?

2 🎧 05 Escucha y lee estos comentarios de algunas personas después de viajar fuera de sus países. ¿Te ha pasado algo parecido a ti?

> Ya me lo habían dicho, pero no podía creerlo, ¡en París un café te cuesta 3 o 4 euros, sí, sí, en serio!

> ¡Menos mal que cuando regresé a Barcelona ya había terminado la huelga de pilotos de Iberia!

> En nuestro último viaje a Grecia, todavía no habían terminado las obras del nuevo aeropuerto de Atenas, así que tuvimos que despegar desde el antiguo.

En estas oraciones te presentamos una nueva forma verbal de pasado. Es un tiempo compuesto que no te costará reconocer, ¿verdad?

¿Está claro?

1 La palabra *rascacielos* tiene la misma forma para el singular y el plural. ¿A cuáles de las siguientes palabras les sucede lo mismo?

- franceses
- crisis
- radios
- miércoles
- sábados
- tesis
- exámenes

2 Vuelve a leer el texto sobre los rascacielos en Roma y contesta a estas preguntas:

a. ¿Los rascacielos del Imperio romano son los más antiguos de la Historia?

b. ¿Por qué se denominaban *insulae*?

c. ¿Cuál es el posible origen de la Torre de Babel? ¿Sabes algo más de ella?

d. ¿Las *insulae* eran edificios seguros?

3 La forma *eran* es irregular y corresponde al pretérito imperfecto del verbo *ser*. ¿Qué otros dos verbos son irregulares en imperfecto?

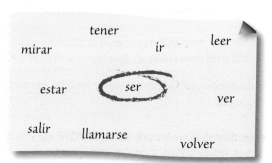

mirar   tener   ir   leer   estar   ser   ver   salir   llamarse   volver

Las cosas claras

1 06 Raquel y Paco tienen dos niños pequeños. Escucha cómo pasaban sus vacaciones antes y cómo las pasan ahora. Completa la tabla.

	Antes	Ahora
Salir al extranjero		
Viajar en Navidad		
Los fines de semana		
Las fiestas familiares		

Para referirnos a cómo eran antes las cosas, hacer descripciones y hablar de acciones habituales en el pasado, usamos el **pretérito imperfecto**.

Ejemplo:

– Antes **vivía** en casa de mis padres y siempre **íbamos** juntos de vacaciones. Era un poco aburrido, pero me **gustaba** estar con ellos.

Pretérito imperfecto

VERBOS REGULARES

cuidar (-ar)	tener (-er)	vivir (-ir)
cuid**aba**	ten**ía**	viv**ía**
cuid**abas**	ten**ías**	viv**ías**
cuid**aba**	ten**ía**	viv**ía**
cuid**ábamos**	ten**íamos**	viv**íamos**
cuid**abais**	ten**íais**	viv**íais**
cuid**aban**	ten**ían**	viv**ían**

VERBOS IRREGULARES

ser	ver	ir
era	veía	iba
eras	veías	ibas
era	veía	iba
éramos	veíamos	íbamos
erais	veíais	ibais
eran	veían	iban

2  De dos en dos. ¿Te gusta viajar? ¿Has viajado alguna vez fuera de tu país? ¿Recuerdas la primera impresión? Cuéntasela a tu compañero.

Después de muchas horas de vuelo, por fin llegamos a México D.F. Lo primero que observé de la Ciudad de México cuando miraba por la ventanilla del avión fue la infinidad de calles y edificios que parecían formar una enorme tela de araña. Siempre había imaginado así esta ciudad: infinita.

Me parece increíble cuando pienso que en 1980 vivían 14 millones de personas y hoy en día son más de 20 millones.

Usamos el PRETÉRITO IMPERFECTO para:	
a. Indicar el contraste entre antes /ahora	*Antes viajaba siempre por España y ahora salgo al extranjero.*
b. Hacer descripciones en el pasado	*Los rascacielos en Roma tenían hasta seis pisos de altura.* *Me sentía un poco nerviosa porque no hablo japonés.*
c. Hablar de acciones habituales en el pasado (*siempre, a menudo, muchas veces,* etc.)	*Los propietarios de las insulae eran, a menudo, sociedades inmobiliarias.*
d. Expresar simultaneidad con otras acciones pasadas o con una acción en desarrollo	*Cuando volvíamos de París empezaba la huelga de pilotos.* *El hombre que viajaba a mi lado sufrió un desmayo durante el vuelo.*
e. Dar explicaciones descriptivas en el pasado	*Los rascacielos se llamaban insulae porque parecían islas en medio de un mar de casas bajas.*
f. Indicar "cortesía" en la expresión de deseos y peticiones	*Por favor, quería dos billetes para el vuelo de las 17.00 horas.*

3  **De dos en dos. Recuerda cosas que nunca habías hecho o visto antes de:**

aprender español	viajar al extranjero por primera vez	ganar tu propio dinero

Para referirnos a acciones pasadas anteriores a otras acciones pasadas utilizamos el **pretérito pluscuamperfecto.**

Ejemplo:

– Antes de ir este verano a Tokio yo nunca **había estado** en Japón, por eso, estaba un poco nerviosa. Además, no hablo nada de japonés y mi amiga Mari me **había contado** que los japoneses hablan muy poco inglés.

Pretérito pluscuamperfecto:

imperfecto de *haber*	+	participio pasado

había
habías
había   -ar ——— -ado / cuidado
habíamos   -er
habíais   -ir > - ido / tenido
habían   / vivido

4 ¿Cómo fueron tus últimas vacaciones? Lee esta historia de Maitena y coméntala con tu compañero. ¿Te recuerda algo?

El País Semanal, nº 1400, 27-07-03

Si quieres leer y ver más historias de Maitena, puedes consultar su página web: www.maitena.com.ar

Un viaje en autobús y el encuentro de un teléfono móvil son el punto de partida de esta curiosa historia del escritor español Juan José Millás.

1 EL MÓVIL. El tipo que desayunaba a mi lado, en el bar, olvidó un teléfono móvil debajo de la barra. Corrí tras de él, pero cuando alcancé la calle había desaparecido. Di un par de vueltas con el aparato en la mano por los alrededores
5 y finalmente lo guardé en el bolsillo y me metí en el autobús. A la altura de la calle Cartagena comenzó a sonar. Como la gente me miraba, lo saqué con naturalidad y atendí la llamada. Una voz de mujer, al otro lado, preguntó:

"¿Dónde estás?". "En el autobús", dije. "¿En el autobús?
10 ¿Y qué haces en el autobús?". "Voy a la oficina". La mujer se echó a llorar porque parecía que le había dicho algo horrible, y colgó.

Guardé el aparato en el bolsillo de la chaqueta y perdí la mirada en el vacío. A la altura de María de Molina* con
15 Velázquez* volvió a sonar. Era de nuevo la mujer. Aún lloraba. "Seguirás en el autobús, ¿no?", dijo con voz incrédula. "Sí", respondí. Una mujer tosió a mi lado. "¿Con quién estás?", preguntó angustiada. "Con nadie", dije. "¿Y esa tos?". "Es de una pasajera del autobús". Tras unos segundos añadió con
20 voz firme: "Me voy a suicidar; si no me das alguna esperanza me mato ahora mismo". Miré a mi alrededor: todo el mundo estaba pendiente de mí, así que no sabía qué hacer. "Te quiero", dije, y colgué.

Dos calles más allá sonó otra vez: "¿Eres tú el que anda
25 jugando con mi móvil?", preguntó una voz masculina. "Sí", dije tragando saliva. "¿Me lo vas a devolver?". "No", respondí. Al poco tiempo lo dejaron sin línea, pero yo lo llevo siempre en el bolsillo por si ella vuelve a telefonear.

*Nombres de calles de Madrid
(*Texto adaptado de* Cuentos a la intemperie, 1997)

---

1 📖 **Lee el texto y subraya las palabras que no conoces. ¿Puedes deducirlas por el contexto? Busca las siguientes expresiones en el diccionario.**

- **(línea 1)** tipo (el)
- **(línea 2)** barra (la)
- **(línea 6)** A la altura de (estar)
- **(línea 11)** echarse a (+ infinitivo)
- **(línea 16)** incrédula (ser)
- **(línea 18)** angustiada (estar)
- **(línea 22)** estar pendiente de
- **(línea 26)** saliva (la)

2 Observa con atención el uso de los tiempos de pasado en el texto. ¿Qué relación cronológica hay entre las formas verbales de estas oraciones?

a. El tipo que *desayunaba* a mi lado *olvidó* un teléfono móvil debajo de la barra.

b. La mujer *se echó a llorar* porque *parecía* que le *había dicho* algo horrible, y colgó.

3 💬 **Te proponemos un ejercicio de dramatización tras la lectura. Tenemos los siguientes personajes: un narrador, el protagonista en 1.ª persona, la mujer que recibe la llamada y el hombre que llama. Repartid los papeles y, en grupos de cuatro, representad la escena en clase.**

AUTOEVALUACIÓN

1 **Antes no .... dinero para viajar; ahora no tenemos tiempo.**
   a. ☐ hemos tenido
   b. ☐ teníamos
   c. ☐ tuvimos

2 **–Por favor, ¿............... decirme cuánto cuesta esto?**
   a. ☐ podaba
   b. ☐ podrá
   c. ☐ podía

3 **Antes de ir a Venezuela, Pedro ya .... dos veces en Hispanoamérica.**
   a ☐ había estado
   b. ☐ estuvo
   c. ☐ estaba

4 **En Navidad, mis padres .... a menudo de viaje.**
   a. ☐ ían
   b. ☐ iban
   c. ☐ irían

5 **¿Seguro que no .... esta película?**
   a. ☐ habáis visto
   b. ☐ habebais visto
   c. ☐ habíais visto

6 **Cuando .... al tren, ... a llover de repente.**
   a. ☐ hemos esperado / empezó
   b. ☐ estábamos esperando / empezó
   c. ☐ esperamos / empezaba

7 **Llegamos a la estación cuando ya había salido el autobús quiere decir:**
   a. ☐ pudimos coger el autobús.
   b. ☐ no pudimos coger el autobús.
   c. ☐ no llegamos a la estación.

8 **Desde el noveno piso se .... toda la ciudad.**
   a. ☐ vía
   b. ☐ vería
   c. ☐ veía

9 **No pudimos quedarnos en el hotel porque .... completo.**
   a. ☐ estuvo
   b. ☐ estaba
   c. ☐ era

10 **El plural de tesis es:**
   a. ☐ tesises
   b. ☐ tesis
   c. ☐ tesios

11 **En época del Imperio romano ya .... los rascacielos.**
   a. ☐ han existido
   b. ☐ habían existido
   c. ☐ existían

12 **Un rascacielos es:**
   a. ☐ una montaña que llega al cielo.
   b. ☐ un edificio muy alto.
   c. ☐ un museo de aviación.

13 **Desde la .... del avión sólo se veían nubes**
   a. ☐ ventanita
   b. ☐ ventaneta
   c. ☐ ventanilla

14 **En la historia de Maitena, pobre se refiere a:**
   a. ☐ una persona sin dinero.
   b. ☐ una persona que da lástima.
   c. ☐ una persona con suerte.

15 **La expresión el viaje fue un calvario quiere decir:**
   a. ☐ fue un viaje muy malo.
   b. ☐ fue un viaje muy caro.
   c. ☐ fue un viaje muy cómodo.

16 **Estas vacaciones no hemos ido .... viaje.**
   a. ☐ a
   b. ☐ en
   c. ☐ de

17 **En un bar, la barra es:**
   a. ☐ un recipiente grande que contiene cerveza.
   b. ☐ el mostrador alargado donde se sirve a los clientes que están de pie.
   c. ☐ la zona de mesas y sillas donde se sientan los clientes.

18 **Un pasajero es:**
   a. ☐ el que pasea.
   b. ☐ el que pasa cerca.
   c. ☐ el que viaja.

19 **Un incrédulo es aquel que**
   a. ☐ no cree nada.
   b. ☐ cree todo lo que le dicen.
   c. ☐ no piensa.

20 **Cuando vi aquel accidente de tráfico, ... a llorar.**
   a. ☐ me comencé
   b. ☐ me eché
   c. ☐ me echaba

19 ¡Ojalá cuidemos mejor nuestro planeta!

Funciones

▷ Formular deseos

▷ Opinar sobre el medio ambiente

Gramática

▷ El presente de subjuntivo: verbos regulares e irregulares

▷ *¡Ojalá (que)* + presente de subjuntivo!

▷ *Querer* + sustantivo / + infinitivo

▷ *Esperar que* + presente de subjuntivo

Léxico

▷ Ecología y medio ambiente

Cultura

▷ Las energías renovables

¿Empezamos?

1 Mira las imágenes de arriba. ¿Tienen algo en común? ¿Qué vocabulario necesitas para hablar de ellas?

2 Observa este anuncio de una campaña publicitaria del Ministerio de Medio Ambiente español (www.mma.es).

  a. Las palabras *herencia* y *heredar* están relacionadas. ¿Qué significan?

  b. ¿Cuál es, en tu opinión, el mensaje del anuncio?

  c. En el texto del anuncio, ¿a qué infinitivos corresponden los verbos subrayados? Se trata de una nueva forma, el presente de subjuntivo.

Este río es tu herencia

Has heredado una gran tierra cuídala

Aprovecha cada gota de agua que has heredado. Déjala correr sólo cuando la necesites, para que llegue a todos y todos los lugares.

DESARROLLO SOSTENIBLE · MINISTERIO DE MEDIO AMBIENTE

Desarrollo sostenible: explotación no agresiva de los recursos naturales.

¿Está claro?

1 Vuelve a mirar las imágenes del ejercicio 1 de la página anterior. Relaciónalas con los siguientes deseos:

1. Espero que la gente *llegue* a usar siempre pilas recargables. `E`
2. ¡Ojalá *llueva* pronto! ☐
3. Espero que no *contaminemos* más las playas. ☐
4. ¡Ojalá todos *reciclemos* la basura! ☐
5. ¡Que los Gobiernos *controlen* mejor la emisión de humos contaminantes! ☐

2 Esta joven nos dice lo que quiere o espera para el futuro. Fíjate en cómo usa los verbos *querer* y *esperar* y expresa tus propios deseos.

> Quiero un planeta limpio.

> No quiero malgastar el agua.

> Espero que mis hijos no hereden ríos contaminados.

Quiero / Espero	+ sustantivo	Desear cosas
Quiero / Espero	+ infinitivo	Desear acciones (mismo sujeto)
Quiero que / Espero que	+ presente de subjuntivo	Desear acciones (sujetos diferentes)

Las cosas claras

1 Lee estos titulares de periódico y formula deseos. ¿Qué significan las expresiones subrayadas?

Ejemplo:

A. ¡Ojalá no construyan más hoteles en la costa mediterránea! Están destruyendo el medio ambiente!

(A) **Construcción masiva de hoteles en el Mediterráneo**

(B) **¿Ha comenzado la guerra por el agua?**

(C) **<u>Reciclar</u> es dar vida**

(D) **El futuro está en las <u>energías renovables</u>**

(E) **ECOLOGÍA: ¿política o realidad?**

(F) **Aprender a cuidar el entorno: el <u>consumo racional</u>**

(G) **Cada vez más atascos en las grandes ciudades**

Para expresar deseos podemos usar:

¡Ojalá* ¡Que	+ presente de subjuntivo!
Quiero	+ sustantivo + infinitivo
Espero que	+ presente de subjuntivo

*En Hispanoamérica se usa más frecuentemente *ojalá que* (¡*Ojalá que mañana llueva!*). En España se omite *que* en esta construcción.

Ejemplo:

– En los últimos meses hemos desarrollado un nuevo programa energético para aprovechar la fuerza del viento. ¡Ojalá funcione!

– Pues mucha suerte, ¡que salga muy bien! Espero que tengáis muy buenos resultados.

Presente de subjuntivo

VERBOS REGULARES

	contaminar	vender	consumir
(yo)	contamine	venda	consuma
(tú)	contamines	vendas	consumas
(él/ella, Vd.)	contamine	venda	consuma
(nosotros/as)	contaminemos	vendamos	consumamos
(vosotros/as)	contaminéis	vendáis	consumáis
(ellos/as, Vds.)	contaminen	vendan	consuman

¡Ojo!

La vocal característica del presente de subjuntivo:

-ar ➡ e
-er ➡ a
-ir ➡ a

VERBOS IRREGULARES

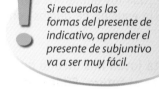

Si recuerdas las formas del presente de indicativo, aprender el presente de subjuntivo va a ser muy fácil.

1. Los verbos con **una o más irregularidades** en presente de indicativo mantienen esas irregularidades en presente de subjuntivo:

hacer	tener	salir	poner	decir	venir	oír	conocer	producir
haga	tenga	salga	ponga	diga	venga	oiga	conozca	produzca
hagas	tengas	salgas	pongas	digas	vengas	oigas	conozcas	produzcas
haga	tenga	salga	ponga	diga	venga	oiga	conozca	produzca
hagamos	tengamos	salgamos	pongamos	digamos	vengamos	oigamos	conozcamos	produzcamos
hagáis	tengáis	salgáis	pongáis	digáis	vengáis	oigáis	conozcáis	produzcáis
hagan	tengan	salgan	pongan	digan	vengan	oigan	conozcan	produzcan

Otras irregularidades ortográficas:

empezar (z>c): empiece, empieces, empiece, empecemos, empecéis, empiecen.

aparcar (c>qu): aparque, aparques, aparque, aparquemos, aparquéis, aparquen.

llegar (g>gu): llegue, llegues, llegue, lleguemos, lleguéis, lleguen.

coger (g>j): coja, cojas, coja, cojamos, cojáis, cojan.

construir (i>y): construya, construyas, construya, construyamos, construyáis, construyan.

2. Los verbos con **cambio vocálico** en presente de indicativo mantienen las mismas irregularidades en presente de subjuntivo:

	poder o>ue	pensar e>ie	pedir e>i
(yo)	pueda	piense	pida
(tú)	puedas	pienses	pidas
(él/ella, Vd.)	pueda	piense	pida
(nosotros/as)	podamos	pensemos	pidamos
(vosotros/as)	podáis	penséis	pidáis
(ellos/as, Vds.)	puedan	piensen	pidan

¡Ojo!

Los verbos con cambio **e>i** mantienen la **irregularidad** en las formas **nosotros** y **vosotros**.

3. Verbos con **irregularidades específicas** en presente de subjuntivo:

	ir	ser	saber	dar	haber
(yo)	vaya	sea	sepa	dé	haya
(tú)	vayas	seas	sepas	des	hayas
(él/ella, Vd.)	vaya	sea	sepa	dé	haya
(nosotros/as)	vayamos	seamos	sepamos	demos	hayamos
(vosotros/as)	vayáis	seáis	sepáis	deis	hayáis
(ellos/as, Vds.)	vayan	sean	sepan	den	hayan

SEAMOS RESPETUOSOS CON EL MEDIO AMBIENTE

2 **07** **Escucha la entrevista radiofónica a Juan Álvarez, representante del partido político *Por una Tierra Verde*. Completa el cuestionario.**

	V	F	No sé
a. La gente es consciente de la explotación abusiva de los recursos naturales.	☐	☐	☐
b. El petróleo puede agotarse pronto.	☐	☐	☐
c. Las energías renovables no son un problema político.	☐	☐	☐
d. De la energía solar se puede obtener otro tipo de energía.	☐	☐	☐

3 **De dos en dos. ¿Qué cosas de tu vida diaria son nocivas o beneficiosas para el medio ambiente? Expresa tu opinión y habla con tu compañero.**

nocivo		beneficioso	
tú	tu compañero	tú	tu compañero
Tirar las pilas usadas a la basura.			Usar productos de limpieza naturales en casa.

08 La preocupación por la ecología y las fuentes de energía es una realidad de nuestros días. En foros científicos se debate sobre el futuro del medio ambiente y las soluciones que se pueden adoptar para salvarlo. En cuanto a las fuentes de energía, la apuesta fuerte corresponde, sin duda, a las energías renovables.

Las energías renovables: el futuro del medio ambiente

1   DEBEMOS apostar por las energías renovables porque son las únicas capaces de evitar el constante y rápido deterioro de nuestro medio ambiente.

En el viento, en el Sol o en la fuerza del agua es posible encontrar los sustitutos adecuados para esas otras fuentes de energía con las que el hombre ha ido contaminando y destruyendo nuestros ecosistemas. Además, 5 muchos de los recursos naturales de los que proceden esas fuentes de energía han sido tan explotados que se han agotado o están a punto de hacerlo.

Por todo ello, todos los gobiernos confían en las energías renovables y esperan que su desarrollo ayude a frenar fenómenos naturales con tantas repercusiones negativas sobre nuestro planeta y nuestras vidas como es, por ejemplo, el cambio climático.

10   "¡Ojalá los países inviertan cada vez más en energías renovables y se den cuenta de su necesidad!", ha dicho recientemente en Barcelona el portavoz de la organización *Greenpeace*. Y ése es el camino que debemos seguir.

Queremos una naturaleza no contaminada, queremos que esté limpia, para nosotros y para los futuros habitantes de esta tierra. No queremos que los ríos y los mares aparezcan llenos de basuras y de restos 15 industriales. Esperamos, sin duda, que vosotros, los jóvenes, los españoles y los de todo el mundo, comprendáis la importancia de estas fuentes de energía inagotables y que aprendáis a valorarlas y a usarlas racionalmente.

(Fragmento de una conferencia sobre *Energías renovables*
en la Universidad Autónoma de Barcelona)

1 Por su forma, relaciona la palabra *renovable* con otras que conozcas.

2 ¿Cómo se llaman estas energías renovables? Relaciona.

1. energía del viento   a. hidráulica
2. energía del sol   b. eólica
3. energía del agua   c. solar
4. energía del calor de la tierra   d. geotérmica

3 ¿A qué infinitivos corresponden las formas de presente de subjuntivo del texto?

4 Resume el texto y cuéntaselo a tu compañero.

AUTOEVALUACIÓN

1 Las basuras se llevan a:
a. ☐ surtidores.
b. ☑ vertederos.
c. ☐ piscinas.

2 Luis .... la casa de sus padres.
a. ☑ ha heredado
b. ☐ ha llegado
c. ☐ ha vuelto

3 La ecología es:
a. ☐ el estudio del eco.
b. ☐ el Día Mundial del Eco.
c. ☑ el estudio de los seres vivos y su entorno.

4 Es más ecológico usar pilas
a. ☐ renovables.
b. ☑ recargables.
c. ☐ utilizables.

5 El consumo racional es:
a. ☑ el consumo moderado.
b. ☐ el consumo humano.
c. ☐ el consumo impulsivo.

6 La fuerza eólica procede
a. ☑ del viento.
b. ☐ del mar.
c. ☐ de la tierra.

7 La 2.ª persona del plural del presente de subjuntivo del verbo *ser* es:
a. ☐ sed.
b. ☐ sais.
c. ☑ seáis.

8 ¡Ojalá .... a tiempo!
a. ☐ lleges
b. ☐ llegas
c. ☑ llegues

9 Espero que .... más verdura.
a. ☐ consumimos
b. ☑ consumamos
c. ☐ consumemos

10 La 3.ª persona del plural del presente de subjuntivo del verbo *saber* es:
a. ☑ sepan
b. ☐ saban
c. ☐ sepen

11 No quiero que la gente .... el agua.
a. ☐ malgasta
b. ☐ malgasten
c. ☑ malgaste

12 La 2.ª persona del plural del presente de subjuntivo de *pedir* es:
a. ☐ pedís.
b. ☐ pedáis.
c. ☑ pidáis.

13 Los gobiernos quieren:
a. ☐ potencien las energías renovables.
b. ☑ potenciar las energías renovables.
c. ☐ que potencian las energías renovables.

14 La 2.ª persona del singular del presente de subjuntivo del verbo *oír* es:
a. ☐ oyes.
b. ☐ oias.
c. ☑ oigas.

15 ¡Que todo .... bien!
a. ☐ sale
b. ☑ saldrá
c. ☐ salga

16 Espero que .... más carriles para bicicletas.
a. ☐ construían
b. ☑ construyan
c. ☐ construyen

17 La 1.ª persona del singular del presente de subjuntivo del verbo *empezar* es:
a. ☐ empieze.
b. ☐ empece.
c. ☑ empiece.

18 En Hispanoamérica se dice:
a. ☑ ¡Ojalá que no haga tanto calor!
b. ☐ ¡Ojalá no haga tanto calor!
c. ☐ ¡Ojalá que no hace tanto calor!

19 La 1.ª persona del singular del presente de subjuntivo del verbo *dar* es:
a. ☐ de.
b. ☐ daré.
c. ☑ dé.

20 Esperamos que .... el presente de subjuntivo.
a. ☐ habéis aprendido
b. ☑ hayáis aprendido
c. ☐ habáis aprendido

Unidades 16-19

¿Es la primera vez que viajas a Argentina?

Comprender

1 ¿En qué parte de Argentina encontramos...? Observa con atención estas fotografías y el mapa, y lee este texto.

Del Trópico de Capricornio al Polo Sur, Argentina se extiende de norte a sur a lo largo de unos 3300 km de variados paisajes. Un país de **enormes** contrastes que ofrece desde **inacabables** llanuras hasta la cumbre más alta del hemisferio sur, el Aconcagua, con 6 959 m, en la cordillera de los Andes. Desde los desérticos altiplanos del noroeste, con valles y coloridas montañas, hasta la región de los lagos, bosques y glaciares de la Patagonia, sin olvidar la selva subtropical al nordeste, con fenómenos tan espectaculares como las cataratas de Iguazú, ni el **litoral** atlántico, que exhibe en la península Valdés una de las mayores concentraciones de **fauna** marina del planeta.

Pero tan extenso y bello entorno natural no podría tener mejor **contrapunto** que la fascinante capital bañada por el Río de la Plata: Buenos Aires. La que en su día fue puerta de entrada a la tierra de las oportunidades para miles de inmigrantes que huían del hambre y las guerras de la vieja Europa, es hoy una ciudad moderna de espíritu comercial que conserva el carácter de sus **encantadores** barrios y su propia **banda sonora:** el tango. Cuenta con una población de más de tres millones y, si le sumamos el **área metropolitana**, unos doce millones. Está dentro de las 30 metrópolis más grandes del mundo.

La cordillera de los Andes exhibe su grandeza en las provincias patagónicas. Bosques milenarios y silenciosos con especies vegetales **autóctonas** y las cumbres de las montañas con picos de **granito** y campos de hielo. **Imponentes** mamíferos y aves marinas viven algunas temporadas en las costas patagónicas donde cumplen parte de su ciclo vital: colonias de lobos y elefantes marinos; las ballenas francas acuden a procrearse; y la mayor colonia de pingüinos anida en Punta Tombo. Y al sur, la Tierra del Fuego y la ciudad más **austral** del mundo, Ushuaia, una puerta abierta hacia la inmensa y misteriosa Antártida.

2 **¿Qué significan las palabras marcadas en negrita en el texto anterior?**
Relaciona las dos columnas.

1.	enormes	**a.**	originario de ese lugar
2.	inacabables	**b.**	mineral muy duro
3.	litoral	**c.**	música de una película
4.	fauna	**d.**	relativo al hemisferio sur
5.	contrapunto	**e.**	muy grandes, gigantes
6.	encantador	**f.**	que provoca miedo o respeto
7.	banda sonora	**g.**	contraste
8.	área metropolitana	**h.**	que no tienen fin, interminables
9.	autóctono	**i.**	animales de una región
10.	granito	**j.**	poblaciones alrededor de una ciudad
11.	imponente	**k.**	costa
12.	austral	**l.**	que causa buena impresión

3 **Elabora una lista con todos los elementos referentes al paisaje que encuentres en el texto.**

Ejemplo: Llanura, cumbre

4 **Ponle un título a cada uno de los párrafos del texto.**

Comprensión auditiva

1 **¿Verdadero o falso? Escucha la entrevista que le hacen a Sonia, que ha estado en Argentina de vacaciones, y señala si estas afirmaciones son verdaderas o falsas.**

V F

a. Ya había estado antes en el hemisferio sur.

b. En Argentina era invierno.

c. No tiene un viaje organizado para ir otra vez a Argentina, pero le gustaría.

d. En Buenos Aires no tuvo guía ni visita organizada.

e. En la Patagonia se quedó en un hotel que estaba en el centro de una ciudad.

f. El salto más alto de Iguazú tiene 80 metros.

g. En el Parque Nacional de Iguazú la flora y la fauna son muy ricas y variadas.

h. El Teatro Colón es famoso por sus espectáculos de tango.

i. Muchos argentinos tienen abuelos europeos.

j. El *voseo* está muy extendido en el español de Argentina.

2 **Resume en cinco líneas el viaje de Sonia. Luego, añade al resumen alguna descripción.**

Hablar

1 **Cuéntanos tu mejor viaje. Prepara una presentación sobre un lugar que hayas visitado recientemente.Busca información y fotos para realizar tu presentación. Tus compañeros te harán preguntas.**

Puedes seguir este esquema:

- Localización, tamaño, número de habitantes...
- ¿Cuándo fuiste? ¿Con quién?
- ¿Por qué elegiste ese lugar? ¿Habías estado antes?
- ¿Qué hiciste? ¿Qué visitaste: monumentos, museos, ciudades, barrios...?
- ¿Qué te gustó más?

Escribir

1 **De dos en dos. Imaginad que estáis de vacaciones en Argentina. Escribid una postal a un amigo contándole cómo os lo estáis pasando, cuándo llegasteis, qué habéis visitado ya, cómo es un día normal...**

Si quieres saber más sobre Argentina, puedes consultar estas páginas web:
http://www.dna.com.ar/directorio (Directorio Nacional de Argentina)
http://www.uba.ar (Universidad Nacional de Buenos Aires)
www.argentinaturistica.com

¿QUÉ SÉ HACER?

Señala todas las actividades que ya puedes hacer. Si no recuerdas alguna,
vuelve a la unidad de referencia y repásala.

COMPRENSIÓN ESCRITA

¿Qué sabes hacer...?

☐ Comprendo textos sobre temas relacionados con el ocio y el tiempo libre: fiestas (16), música (17), viajes (18); el medio ambiente y la ecología (19).

☐ Soy capaz de buscar datos concretos en textos más o menos extensos (16 y 17).

☐ Entiendo, en líneas generales, textos sobre la biografía de una persona en los que se utilizan los tiempos verbales de pasado (17).

☐ Soy capaz de deducir palabras por el contexto en el que están y, con ello, comprender el texto de forma global (18).

☐ Soy capaz de entender un anuncio publicitario y dar mi opinión sobre el mismo (19).

☐ Puedo extraer las ideas principales de un texto expositivo (19).

COMPRENSIÓN AUDITIVA

¿Qué puedes entender...?

☐ Comprendo conversaciones de la vida cotidiana que ocurren en mi tiempo libre (16), relacionadas con las vacaciones y los viajes (18).

☐ Soy capaz de entender programas de radio cuando la articulación es clara (17); y puedo extraer determinada información (17 y 19).

EXPRESIÓN ORAL

¿Qué puedes expresar...?

☐ Puedo describir, hablar y preguntar sobre hechos, hábitos, experiencias cotidianas –en presente– (16) y experiencias pasadas (18).

☐ Soy capaz de ordenar una historia en el tiempo (16).

☐ Puedo expresar mis gustos y dar mi opinión sobre temas que me interesan (16 y 17).

☐ Soy capaz de hablar sobre acciones pasadas recientes y momentos pasados, ya sean pasados lejanos o períodos de tiempo terminados (17).

☐ Puedo hablar sobre acciones pasadas anteriores a otras acciones (18).

☐ Soy capaz de formular deseos ante una situación dada (19).

☐ Sé preparar una breve presentación sobre un tema conocido, por ejemplo, el medio ambiente (19).

INTERACCIÓN ORAL

¿Qué puedes hacer...?

☐ Puedo formular preguntas para obtener determinada información sobre el pasado reciente, lejano o períodos de tiempo terminados (17).

☐ Puedo intercambiar información, contar mis experiencias (16 y 18) y formular deseos (19).

☐ Soy capaz de expresar mi opinión y argumentar un razonamiento (17 y 19).

EXPRESIÓN ESCRITA

¿Qué puedes hacer...?

☐ Puedo escribir un texto descriptivo sobre hábitos, tanto presentes (16) como pasados (17 y 18).

☐ Soy capaz de escribir textos sencillos y coherentes sobre temas conocidos o que me interesan (19).

A-Z Soy capaz de utilizar y comprender vocabulario sobre los siguientes temas:

☐ Partes del día y horas (16).
☐ Comidas y bebidas (16).
☐ Música (17).
☐ Viajes y desplazamientos (18).
☐ Vacaciones (18).
☐ Ecología y medio ambiente (19).

20 Aprender lenguas

¿Empezamos?

1 ¿Quieres conocer algunos datos sobre el español?
Comenta con tu compañero lo que sabes antes de leer el texto.

1   El español o castellano no es solo la lengua de España, sino la cuarta lengua más hablada en el mundo, con más de 400 millones de hablantes, casi todos en el continente americano. Solo en México hay alrededor de 100 millones de hablantes.

5   En EEUU es la primera lengua extranjera en número de hablantes: más de 40 millones. Además, la lengua española se habla en países tan diferentes como Filipinas o Guinea Ecuatorial.

    Sin duda, la riqueza del idioma español está en su variedad y
10 en la diversidad de gentes que lo hablan.

2 Alguien un poco "travieso" no quiere que aprendamos español y ha elaborado este decálogo:

DECÁLOGO PARA NO APRENDER ESPAÑOL

1. No hables con nadie
2. No leas periódicos ni libros
3. No veas la tele
4. No vayas al cine
5. No consultes páginas de Internet
6. No oigas la radio
7. No viajes a países en los que se hable español
8. No escribas nunca
9. No preguntes nunca a tu profesor
10. No hagas nada en español

Fíjate en los verbos, son formas del imperativo negativo. ¿Por qué no elaboras tú el "contradecálogo" para aprender idiomas?

Funciones

▶ Dar órdenes y consejos
▶ Opinar

Gramática

▶ El imperativo negativo
▶ El imperativo afirmativo
▶ La doble negación

Léxico

▶ El aprendizaje de lenguas

Cultura

▶ La comunicación no verbal

¿Está claro?

1 Vuelve a leer el texto del ejercicio 1 de la página anterior y di si son ciertas estas afirmaciones:

a. El español solo se habla en el continente americano.

b. En EEUU hay 400 millones de hispanohablantes.

c. La variedad de los hispanohablantes enriquece el idioma.

2 El imperativo negativo, como ves, utiliza formas del presente de subjuntivo. ¿A qué infinitivos corresponden los verbos del decálogo? ¿Recuerdas las formas del imperativo afirmativo?

Imperativo negativo	Infinitivo	Imperativo afirmativo
no hables		habla
no leas	leer	
no veas		
no vayas		
no utilices		
no viajes		viaja
no escribas	escribir	
no preguntes		
no hagas		

○ **¡Ojo!**

DOBLE NEGACIÓN

$$NO + verbo + \begin{array}{l} NADIE \\ NUNCA \\ NADA \end{array}$$

Ejemplo:

– *No copies nunca en los exámenes.*

Las cosas claras

1 🎧 10 **Escucha un fragmento del programa radiofónico *Aprende a comunicarte mejor* y completa la tabla:**

> En nuestros días, es fundamental dominar el arte de la comunicación. Debemos saber lo que se puede y no se puede hacer para intervenir con éxito en una conversación. En el programa de hoy te enseñaremos cómo ocultar tus sentimientos y emociones ante tu interlocutor. Tus movimientos hablan por ti. No lo olvides.

Lo que no debes hacer	Por qué no debes hacerlo
No sonrías exageradamente.	Puede parecer fingido y poco natural.

Para dar órdenes y consejos negativos, usamos el imperativo negativo.

IMPERATIVO NEGATIVO

El imperativo negativo es fácil cuando ya conoces el presente de subjuntivo porque usa las formas de este tiempo, tanto regulares como irregulares.

Imperativo negativo

VERBOS REGULARES

	hablar (-ar)	leer (-er)	escribir (-ir)
(tú)	NO habl-**es**	NO le-**as**	NO escrib-**as**
(vosotros/as)	NO habl-**éis**	NO le-**áis**	NO escrib-**áis**
(usted)	NO habl-**e**	NO le-**a**	NO escrib-**a**
(ustedes)	NO habl-**en**	NO le-**an**	NO escrib-**an**

VERBOS IRREGULARES MÁS FRECUENTES

hacer	tener	salir	poner	decir	venir	oír
no hagas	no tengas	no salgas	no pongas	no digas	no vengas	no oigas
no hagáis	no tengáis	no salgáis	no pongáis	no digáis	no vengáis	no oigáis
no haga	no tenga	no salga	no ponga	no diga	no venga	no oiga
no hagan	no tengan	no salgan	no pongan	no digan	no vengan	no oigan
traer	**empezar**	**aparcar**	**llegar**	**coger**	**seguir**	**volver**
no traigas	no empieces	no aparques	no llegues	no cojas	no sigas	no vuelvas
no traigáis	no empecéis	no aparquéis	no lleguéis	no cojáis	no sigáis	no volváis
no traiga	no empiece	no aparque	no llegue	no coja	no siga	no vuelva
no traigan	no empiecen	no aparquen	no lleguen	no cojan	no sigan	no vuelvan
pensar	**pedir**	**ir**	**ser**	**conducir**	**dar**	**aparecer**
no pienses	no pidas	no vayas	no seas	no conduzcas	no des	no aparezcas
no penséis	no pidáis	no vayáis	no seáis	no conduzcáis	no deis	no aparezcáis
no piense	no pida	no vaya	no sea	no conduzca	no dé	no aparezca
no piensen	no pidan	no vayan	no sean	no conduzcan	no den	no aparezcan

2  De dos en dos. Da algunos consejos a tu compañero para aprender español.

cuando vives en un país donde se habla español

- En casa, enciende siempre la radio.

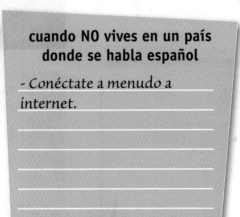

cuando NO vives en un país donde se habla español

- Conéctate a menudo a internet.

Imperativo afirmativo

VERBOS REGULARES

Para dar órdenes y consejos negativos, usamos el imperativo afirmativo.

IMPERATIVO AFIRMATIVO

¡Recuerda! En el imperativo afirmativo, las formas correspondientes a usted/ustedes usan el presente de subjuntivo.

- Para *tú*: -ar> **a** -er/-ir> **e**

- Para *vosotros*: se quita la –r al infinitivo y se pone una -*d*

	hablar (-ar)	leer (-er)	escribir (-ir)
(tú)	habl-**a**	le-**e**	escrib-**e**
(vosotros/as)	habl-**ad**	le-**ed**	escrib-**id**
(usted)	habl-**e**	le-**a**	escrib-**a**
(ustedes)	habl-**en**	le-**an**	escrib-**an**

VERBOS IRREGULARES MÁS FRECUENTES

hacer	tener	poner	ser	ir	decir	salir	venir	oír
haz	ten	pon	sé	ve	di	sal	ven	oye
haced	tened	poned	sed	id	decid	salid	venid	oíd
haga	tenga	ponga	sea	vaya	diga	salga	venga	oiga
hagan	tengan	pongan	sean	vayan	digan	salgan	vengan	oigan

3 En grupos. **Discutid sobre la dificultad o facilidad de realizar estas actividades. Justificad vuestras opiniones.**

Para dar la opinión, usamos estas expresiones:

Yo creo/pienso que...
En mi opinión,...
Para mí, lo mejor / peor es...
Pues yo no lo creo.
Yo también pienso eso.

Ejemplo:

–Para mí, lo más fácil es leer porque puedo usar el diccionario y tengo mucho tiempo para descubrir el significado de las palabras.

Antes de leer el texto, contesta a estas preguntas:

a. ¿Qué es para ti la comunicación no verbal?

b. ¿Has escuchado alguna vez la frase: "Los españoles hacen muchos gestos cuando hablan"? ¿Crees que es cierta? ¿Por qué?

c. Recuerda alguno de los gestos faciales o movimientos corporales que más haces al hablar.

UN GESTO VALE MÁS QUE MIL PALABRAS

1   La comunicación no verbal es inherente al hombre. En mayor o menor medida, además del lenguaje verbal, todos nos comunicamos mediante códigos de distancias interpersonales, gestos faciales y posturas o movimientos corporales. Nuestra cara y nuestro cuerpo
5   también hablan. Así, un sabio refrán español dice: "La cara es el espejo del alma".

    Los expertos de la comunicación estiman que, en una conversación, aproximadamente el 60% de la interacción y el intercambio de mensajes entre los interlocutores se produce de forma no verbal. "Una imagen vale más
10   que mil palabras", dice otro dicho popular y, claro está, un gesto es una imagen.

    Los movimientos corporales suelen aparecer combinados con gestos faciales durante la comunicación. Así, mientras levantamos los hombros, expresamos nuestra sorpresa abriendo los ojos y la boca más de lo habitual. Muchos de los gestos faciales pueden hacerse sin necesidad de mover el cuerpo, por ejemplo, guiñar un ojo es un gesto claro
15   de complicidad.

    Dicen, por último, que las mujeres tienen una habilidad innata para descifrar el lenguaje no verbal, es el tópico de la "intuición femenina". Sin embargo, parece que la explicación es fisiológica y está en la mayor actividad en la mujer de su hemisferio derecho cerebral. En cualquier caso, parece claro que "un gesto vale más que mil
20   palabras".

1   **¿Qué significan estos gestos?**

2   Explica con tus palabras los dichos populares españoles "La cara es el espejo del alma" y "Una imagen vale más que mil palabras".

3   ¿Crees en la "intuición femenina"? ¿Por qué?

AUTOEVALUACIÓN

1 En el mundo hay alrededor de .... millones de hispanohablantes.
- a. ☐ 40
- b. ☐ 1 000
- c. ☑ 400

2 ¡Marisa, (tú) .... la puerta, por favor!
- a. ☐ cabra
- b. ☑ abre
- c. ☐ abran

3 ¡Cuidado, no lo ....!
- a. ☑ cojáis
- b. ☐ cogais
- c. ☐ cogéis

4 ¡Tenga cuidado! No .... por ahí.
- a. ☐ sala
- b. ☑ salga
- c. ☐ salgas

5 La 2.ª persona del plural del imperativo negativo del verbo *ir* es:
- a. ☐ no id.
- b. ☐ no vais.
- c. ☑ no vayáis.

6 La forma *usted* del imperativo negativo del verbo *ser* es:
- a. ☐ se.
- b. ☐ sé.
- c. ☑ sea.

7 La 2.ª persona del singular del imperativo negativo del verbo *aparcar* es:
- a. ☐ no aparcas.
- b. ☐ no aparces.
- c. ☑ no aparques.

8 ¡No .... la mano, es peligroso!
- a. ☐ movas
- b. ☐ mueves
- c. ☑ muevas

9 La 2.ª persona del singular del imperativo afirmativo del verbo *tener* es:
- a. ☐ tiene.
- b. ☐ tenes.
- c. ☑ ten.

10 ¡A ver, niños, ... esta pregunta!
- a. ☐ escribed
- b. ☑ escribid
- c. ☐ escribir

11 Oye, no digas ....
- a. ☐ nadie.
- b. ☐ algo.
- c. ☑ nada.

12 .... mi opinión, lo más fácil es leer.
- a. ☐ De
- b. ☐ A
- c. ☑ En

13 .... mí, lo más difícil es comprender cuando me hablan.
- a. ☐ Por
- b. ☑ Para
- c. ☐ A

14 Un gesto de la cara se llama ....
- a. ☐ caro.
- b. ☐ caral.
- c. ☑ facial.

15 "La cara es el espejo del alma" significa:
- a. ☐ la cara no significa nada.
- b. ☑ las expresiones de la cara expresan nuestras emociones.
- c. ☐ la cara y el alma son espejos.

16 "Una imagen .... más que mil palabras".
- a. ☐ cuesta
- b. ☐ imagina
- c. ☑ vale

17 "Guiñar un ojo" puede significar:
- a. ☐ aburrimiento.
- b. ☑ complicidad.
- c. ☐ cansancio.

18 Levantar los hombros y abrir los ojos y la boca significa:
- a. ☑ sorpresa.
- b. ☐ cariño.
- c. ☐ "adiós".

19 ¡No .... el libro si no has aprendido el imperativo negativo!
- a. ☐ cerres
- b. ☐ zierres
- c. ☑ cierres

20 ¿Qué tal la autoevaluación? ¡............... tus aciertos y fallos!
- a. ☐ Conta
- b. ☑ Cuenta
- c. ☐ Contas

¿Dónde estarán ahora?

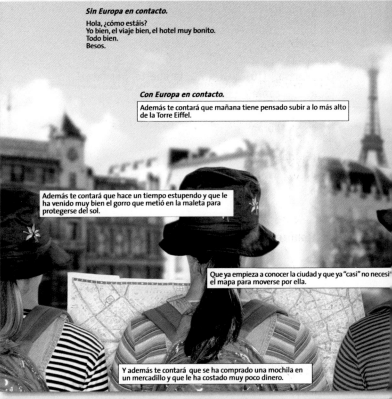

Sin Europa en contacto.

Hola, ¿cómo estáis?
Yo bien, el viaje bien, el hotel muy bonito.
Todo bien.
Besos.

Con Europa en contacto.

Además te contará que mañana tiene pensado subir a lo más alto de la Torre Eiffel.

Además te contará que hace un tiempo estupendo y que le ha venido muy bien el gorro que metió en la maleta para protegerse del sol.

Que ya empieza a conocer la ciudad y que ya "casi" no necesi el mapa para moverse por ella.

Y además te contará que se ha comprado una mochila en un mercadillo y que le ha costado muy poco dinero.

Funciones

▶ Expresión de la probabilidad, duda y suposición (en el pasado, en el pasado reciente y en el presente)

▶ Hablar de acciones y proyectos futuros, relativamente seguros

▶ Expresión de la condición

Gramática

▶ El futuro simple

▶ El futuro compuesto

▶ El condicional simple

▶ *Quizá(s) / tal vez / probablemente* + presente de subjuntivo

Léxico

▶ Situaciones habituales en un viaje

Cultura

▶ Autores contemporáneos españoles

SIMPLEMENTE MARCA EL
120
+
SU NÚMERO MOVISTAR

PORQUE AHORA, CON EUROPA EN CONTACTO, SI LLAMAS DESDE ESPAÑA A ALGUIEN QUE ESTÁ EN EL EXTRANJERO MARCANDO EL 120+ SU NÚMERO MOVISTAR, LA LLAMADA RECIBIDA NO LE COSTARÁ NADA Y PODRÉIS HABLAR MUCHO MÁS.

Infórmate en el 609.

www.movistar.co

Telefónica
MoviSta

Infórmate en el 609 para consultar la disponibilidad del servicio en los diferentes países. El número llamante asume todo el coste de la llamada: tanto el tramo na el tramo internacional de la llamada. Establecimiento de llamada MoviStar Plus: 0,30 euros. Establecimiento de llamada MoviStar Activa: 0,34 euros. Precio de la l euros/min. Facturación por segundos después del primer minuto completo. Impuestos indirectos no incluidos.

¿Empezamos?

1 Después de leer el anuncio, contesta a estas preguntas. Observa que, en alguna de ellas, para expresar probabilidad, duda o formular suposiciones en el presente, usamos el futuro simple.

	Con seguridad	Probabilidad/suposición
¿Dónde *están / estarán* las chicas?	*Están* en una calle de París.	*Estarán* en una calle de París.

a. ¿Qué producto se anuncia en la publicidad?

b. ¿Desde dónde llaman las chicas del anuncio?

c. ¿Por qué *habrán ido* allí?

d. ¿Qué crees que van a hacer los próximos días?

e. ¿Por qué *hablarán* tan poco sin *Europa en contacto* cada vez que llaman a casa?

¿Está claro?

1 Vuelve a leer el anuncio y di si estas afirmaciones te parecen verdaderas o falsas. ¿Por qué?

a. Han pensado que no van a subir a la Torre Eiffel. ☐

b. Han tenido que comprar gorros porque hace mucho sol. ☐

c. No les hace falta un mapa para conocer la ciudad. ☐

d. Han estado en un mercadillo, pero no han comprado nada. ☐

2 Formula algunas suposiciones en relación con el anuncio.

> Para expresar probabilidad, duda y hacer suposiciones sobre acciones presentes y futuras, podemos usar esta estructura:
>
> *Quizá(s)* *
> *Tal vez*   + presente de subjuntivo
> *Probablemente*
>
> * Existen las dos formas: *quizá* y *quizás*. Se usan indistintamente.
> *Quizá(s)/tal vez/probablemente* pueden ir seguidos de presente de indicativo cuando las posibilidades de que la acción se realice son mayores. Pero lo habitual es su uso con subjuntivo.

Quizás *estén de viaje de fin de curso* .

_____

_____

_____

3 ¿Qué ventajas tiene llamar con *Europa en contacto*? Usa la estructura condicional:

> Para expresar condición:
>
> *Si*   + V1 presente de indicativo, V2 futuro
>
> **Ejemplo:**
> – *Si llamas con Europa en contacto, ahorrarás dinero en las llamadas*

Las cosas claras

1 Antes de ir a París, las chicas del anuncio imaginaban cómo sería su viaje. Escucha este diálogo y completa.

Lo que harán   **Lo que quizás hagan**

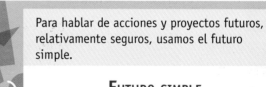

> Para hablar de acciones y proyectos futuros, relativamente seguros, usamos el futuro simple.
>
> ### FUTURO SIMPLE
>
> | Verbos regulares | | Verbos irregulares* | |
> |---|---|---|---|
> | | **-é** | **cabr**-é | **querr**-é |
> | | **-ás** | **dir**-é | **sabr**-é |
> | (-ar) llamar | **-á** | **habr**-é | **saldr**-é |
> | (-er) ver | | | |
> | (-ir) subir | **-emos** | **har**-é | **tendr**-é |
> | | **-éis** | **pondr**-é | **valdr**-é |
> | | **-án** | **podr**-é | **vendr**-é |
>
> * La irregularidad está en la raíz del verbo, no en las terminaciones.

Futuro simple

2 Ya están en París. ¿Qué crees que harán las chicas del anuncio en los siguientes casos? Señala tu grado de seguridad con las siguientes fórmulas.

	SEGURO > **futuro simple**	PROBABLE > *quizás* + **presente de subjuntivo**
Si les roban las mochilas.	*Irán a una comisaría de policía.*	*Quizás llamen a sus padres.*
Si no encuentran el hotel.		
Si no suena el despertador.		
Si pierden el autocar de la excursión a Versalles.		
Si no les gusta la comida.		
Si no hablan francés.		

Recuerda cómo podemos expresar probabilidad, duda y suposición en pasado y presente.

Expresión de la probabilidad, duda y suposición		
En el pasado	**En el pasado reciente**	**En el presente**
• condicional simple	• futuro compuesto	• futuro simple
- Llegarían a París hace unos días. - Ayer estarían muy cansadas y por eso no salieron.	- Hoy se habrán levantado temprano para tener más tiempo.	- Estarán en un hotel céntrico y barato.

Si ya sabes cómo se forma el futuro, el condicional es muy fácil –las irregularidades son las mismas–:

FUTURO COMPUESTO

habré
habrás
habrá
habremos
habréis
habrán

+ participio pasado

CONDICIONAL SIMPLE

Verbos regulares		Verbos irregulares*	
	-ía	**cabr**-ía	**querr**-ía
(-ar) llamar	**-ías**	**dir**-ía	**sabr**-ía
(-er) ver	**-ía**	**habr**-ía	**saldr**-ía
(-ir) subir	**-íamos**	**har**-ía	**tendr**-ía
	-íais	**pondr**-ía	**valdr**-ía
	-ían	**podr**-ía	**vendr**-ía

* La irregularidad está en la raíz del verbo, no en las terminaciones.

3 De dos en dos. Fíjate en estas situaciones y formula probabilidad, duda o suposición. Coméntalas con tu compañero.

Tu jefe/*profe* no ha aparecido por el trabajo en una semana.

Le habrán tocado muchos millones de euros en la lotería.

Pensabas aprobar el examen pero has suspendido.

Mandaste treinta currículos, pero no te ha respondido ninguna empresa.

Tus compañeros de trabajo no te han felicitado y saben que hoy es tu cumpleaños.

Las chicas de París hoy no han hecho ninguna visita.

Has llegado a casa a las 10 de la noche pero no hay nadie.

4 De dos en dos. París es una ciudad con mucho encanto. Pregunta a tu compañero cómo pasaría un día en París y, luego, cuéntalo tú.

Reflexiones sobre el pasado y el presente

Lee estos dos fragmentos de dos famosos escritores españoles contemporáneos: Antonio Muñoz Molina y Julio Llamazares, y resume en una oración tu impresión de cada uno de ellos.

VIVIR A PRUEBA

1 Una parte considerable de la vida la pierde uno haciendo exámenes, sometiéndose a pruebas, demostrando que sabe cosas, cosas que en la mayor parte
5 de las ocasiones no le importan nada y se le olvidan en cuanto termina la necesidad de tenerlas almacenadas en la memoria, cuando ha pasado la prueba o el examen y uno disfruta el alivio, siempre
10 provisional, de no tener que volver a examinarse de nada en el futuro próximo.

Es importante la buena memoria, pero más valioso aún es el buen olvido (...).

Antonio Muñoz Molina (El País Semanal)

MICRORRELATO

1 Como muchos de su tiempo, mis padres se pasaron la vida pensando en el día de mañana. "Hay que ahorrar para el día de mañana", "tú, piensa
5 en el día de mañana", me decían.

Pero el día de mañana no llegaba. Pasaban los días y los años, y el día de mañana no llegaba.

De hecho, mis padres ya están
10 muertos y el día de mañana aún no ha llegado.

Julio Llamazares (El País Semanal)

1 ¿Qué crees que quieren transmitir los autores? Haz hipótesis sobre ello.

2 ¿Crees que tienen algo en común o no? ¿Por qué?

3 ¿Qué significa, en tu opinión, la última oración del texto "Vivir a prueba": *Es importante la buena memoria, pero más valioso aún es el buen olvido*?

4 En el texto "Microrrelato", se repite constantemente la expresión "el día de mañana". ¿A qué crees que se refiere?

AUTOEVALUACIÓN

1 Un *mercadillo* es:

a. ☐ un mercado pequeñito.

b. ☐ un mercado de cosas variadas y baratas al aire libre.

c. ☐ un mercado de pescado y carne.

2 Para proteger la cabeza del sol, me pongo

a. ☐ un gorro.

b. ☐ unos guantes.

c. ☐ unas gafas.

3 Sirve para guardar cosas y se lleva sobre la espalda.

a. ☐ Una mochila.

b. ☐ Un saco.

c. ☐ Una maleta.

4 Un viaje de fin de curso

a. ☐ se organiza todos los años.

b. ☐ se hace al final de un ciclo educativo.

c. ☐ se hace sólo al final de la Educación Infantil.

5 Moverse, pasear .... la ciudad.

a. ☐ en

b. ☐ por

c. ☐ sobre

6 *Quizás vengan mañana* significa:

a. ☐ Tal vez vengan mañana.

b. ☐ Seguro que vienen mañana.

c. ☐ ¡Ojalá vengan mañana!

7 *Probablemente ya estén aquí* significa:

a. ☐ Tal vez estén aquí.

b. ☐ Seguro que están aquí.

c. ☐ Llegarán mañana.

8 En ese autocar no .... todos. Es demasiado pequeño.

a. ☐ caberemos

b. ☐ cabremos

c. ☐ cabramos

9 ¡Esperadme aquí, chicas! .... en un momento.

a. ☐ Volveré

b. ☐ Voldré

c. ☐ Volvé

10 Tal vez no .... al museo antes de las diez. Tenemos tiempo para tomarnos un café.

a. ☐ entremos

b. ☐ habíamos entrado

c. ☐ entraríamos

11 La 2.ª persona del plural del condicional del verbo *hacer* es:

a. ☐ haríais.

b. ☐ haréis.

c. ☐ haráis.

12 La 1.ª persona del singular del condicional del verbo *querer* es:

a. ☐ quería.

b. ☐ querría.

c. ☐ querida.

13 El año que viene, el billete de metro .... el doble.

a. ☐ valerá

b. ☐ valga

c. ☐ valdrá

14 No tengo reloj, pero .... las dos.

a. ☐ serán

b. ☐ será

c. ☐ sean

15 *Me pregunto dónde habrá ido Emma* significa:

a. ☐ No sé dónde ha ido.

b. ☐ Sé dónde ha ido.

c. ☐ Emma ha vuelto ya.

16 ¡Qué raro! Mi amiga no ha bajado a desayunar todavía.

a. ☐ ¡No habrá oído el despertador!

b. ☐ ¡Ojalá desayune ya!

c. ☐ Oirá el despertador.

17 *El avión habrá llegado tarde* implica

a. ☐ suposición.

b. ☐ deseo.

c. ☐ condición.

18 *Provisional* es lo mismo que

a. ☐ posicional.

b. ☐ capacidad de hacer pruebas.

c. ☐ temporal.

19 Recuerdo todo lo que he visto. Tengo ....

a. ☐ buen recuerdo.

b. ☐ buenos recuerdos.

c. ☐ buena memoria.

20 La expresión "el día de mañana" se usa normalmente como

a. ☐ "mañana".

b. ☐ "el futuro que nos espera".

c. ☐ "mañana de día".

22 Yo, en tu lugar, trabajaría en el extranjero

CEAC

David se quejaba de lo complicado que era aprender una profesión

Hoy se queja de no haberla aprendido antes

Aprende la profesión que prefieras a tu ritmo, con todo el apoyo personal que necesitas y sin salir de tu casa. Con CEAC, si quieres, puedes.

Funciones

▷ Expresión de consejo y recomendación

▷ Expresión de la finalidad

Gramática

▷ *Yo, en tu lugar/Yo que tú* + condicional

▷ Verbos de influencia + presente de subjuntivo

▷ *Para* + infinitivo/*Para que* + presente de subjuntivo

Léxico

▷ Profesiones y actividades laborales

▷ Ofertas de empleo

Cultura

▷ El currículum vítae

¿Empezamos?

español

Universidad Rey Juan Carlos

Vicerrectorado de Títulos Propios y Pstgrado

Máster en Enseñanza de Español como Lengua Extranjera (E/LE)

Noviembre 2004 ◇ Octubre 2005

TRABAJO

• **¿Viajarías** al extranjero?
• **¿Dejarías** tu ciudad para vivir fuera?
• **¿Empezarías** una nueva vida a miles de kilómetros de tu casa?
• **¿Serías** capaz de integrarte en otra cultura? **¿Estarías** dispuesto/a a vivir nuevas experiencias?
Ahora puedes hacerlo realidad.

¿Tienes experiencia en la enseñanza? Nosotros te formamos.

Trabaja como profesor de español en el extranjero.

Dedícate a una profesión con futuro.

¿Está claro?

1 ¿Has pensado alguna vez en ser profesor de idiomas? Contesta a las preguntas de la página anterior. Usa el condicional.

2 El verbo *quejarse* se usa con la preposición *de*. ¿Qué preposiciones acompañan a estos verbos?

| a   en   de |

quejarse — [de]

estar dispuesto — ☐

dedicarse — ☐

tener experiencia — ☐

pensar — ☐

depender — ☐

encargarse — ☐

ser capaz — ☐

fijarse — ☐

Las cosas claras

1  **De dos en dos. Escucha esta entrevista a un sociólogo sobre profesiones con futuro. Completa la lista. ¿Qué le recomendarías a tu compañero o compañera?**

Profesiones con futuro	¿Por qué?

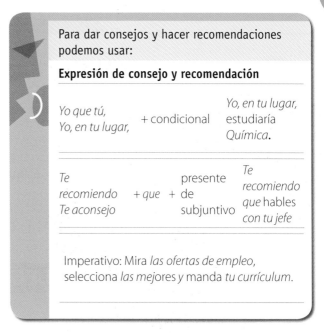

Para dar consejos y hacer recomendaciones podemos usar:

Expresión de consejo y recomendación

Yo que tú, *Yo, en tu lugar,*	+ condicional	*Yo, en tu lugar, estudiaría Química.*
Te recomiendo *Te aconsejo*	+ *que* +	*presente de subjuntivo*	*Te recomiendo que hables con tu jefe*

Imperativo: Mira *las ofertas de empleo*, selecciona *las mejores* y manda *tu currículum*.

2 **Ana le pide consejo a su amiga Raquel. Después de leer el correo, imagina y escribe la respuesta de Raquel.**

Para: Raquel

Asunto:

¡Hola Raquelita! Te voy a sorprender con mis planes, seguro. Estoy pensando en matricularme en la UNED, en Filología Hispánica. Tengo el programa y ya he hablado con una colega tuya; me recomienda que empiece con un par de asignaturas para ver si me gusta. Ella me propone Historia de la Literatura en la Edad Media y Lingüística. ¿Tú qué opinas?

Me apetece mucho estudiar algo porque ahora tengo mucho tiempo libre y ya sabes que siempre me ha atraído esa carrera. ¿Qué harías tú en mi lugar?

Ya sé que estás muy ocupada, pero contéstame pronto, ¿vale? Besitos, Ana

3  Ahora manda un correo a tu compañero y pídele que te aconseje sobre ese tema que tanto te preocupa.

4 Lee el siguiente anuncio de empleo y responde a las preguntas. Luego, elabora tú una oferta de empleo y explícasela a tus compañeros. Decidid entre todos cuál es la más interesante.

CALL-CENTER ubicado en **Alcobendas**
selecciona para medio de comunicación líder en difusión

TELEOPERADORES DE VENTAS

Se requiere:
- Disponibilidad incorporación inmediata.
- Empatía y buen nivel de comunicación.
- Constancia y capacidad de persuasión.
- Experiencia previa en puesto similar.
- Campaña hasta 15 de julio. Reinicio en septiembre.

Se ofrece:
- ✓ Trabajo estable
- ✓ Contrato laboral y alta en S.S.
- ✓ Remuneración fija + importantes comisiones
- ✓ Formación inicial a cargo de la empresa

Interesados llamar al tfno.: 91 414 02 40 de lunes a viernes de 9 a 20 h.

a. ¿El anuncio es para trabajar en una tienda?

b. ¿El trabajo es cara al público? ¿En qué consiste?

c. ¿Es necesario haber trabajado antes en algo parecido?

d. ¿Se ofrece algún tipo de complemento económico al sueldo fijo?

e. ¿Se encarga la empresa de enseñar al futuro trabajador?

5 Fíjate en la utilidad de los siguientes servicios de Correos.

BUROFAX
Y SERVICIOS DE TELECOMUNICACIONES

Para que llegues donde parece imposible llegar.

PAQUETE AZUL
Y OTROS PRODUCTOS DE PAQUETERÍA

Para que envíes tus documentos o mercancías a domicilio.

Correos y Telégrafos
PARA TODO LO QUE MANDES

6 Ahora, piensa en la finalidad del trabajo de estos profesionales.

CARTERO/A

BOMBERO/A

CIRUJANO/A

SUBMARINISTA

AZAFATA/
AUXILIAR DE VUELO

Reparte el correo **para que** todos lo recibamos en nuestras casas.

FUTBOLISTA

REPORTERO/A

PINTOR/A

CANTANTE

PROFESOR/A

Para expresar finalidad utilizamos:

Expresión de la finalidad

Para + infinitivo (mismo sujeto)	*Para que* + subjuntivo (sujetos diferentes)
Para obtener ese puesto de trabajo necesitas tener el mejor currículum.	*Para que* te acepten en ese trabajo debes tener experiencia previa en un puesto similar.

Llave de papel

Cuida tu currículum vítae. Es muy importante para conseguir trabajo.

El currículum vítae es tu carta de presentación ante las personas que van a decidir si tú eres el adecuado para el puesto de trabajo. Es la primera impresión que van a tener de ti aquellos que, tal vez, un día sean tus jefes. Yo en tu lugar, querido amigo, lo prepararía muy bien.

Lo primero que debes hacer es reunir todos los datos relativos a tu formación académica. Pon directamente tu titulación superior y los cursos relacionados con el puesto de trabajo que solicitas. No olvides los idiomas que has estudiado. Te aconsejo que cites también tus conocimientos de informática.

Al hablar de tu experiencia profesional, sé claro y conciso. Si tienes otros datos importantes que no encajan en los apartados anteriores, pon "Otros méritos" para incluirlos.

Si no optas a un puesto de máxima responsabilidad o tienes más de veinte años de experiencia, tu currículum no debería ocupar más de uno o dos folios. Hazlo bien, tu futuro profesional depende, en gran medida, de él.

Martín Pastor, Director de Recursos Humanos

CURRÍCULUM VÍTAE

DATOS PERSONALES

Apellidos y nombre: Mendiola Puig, Raúl
DNI: 50 127 674
Dirección: C/ Ceuta, 17
28015 Madrid
Teléfono: 654 687 359
E-mail: mendi232@organiz.net

FORMACIÓN ACADÉMICA

Titulación: Ingeniero de Materiales (URJC, 2005)
Cursos: "Los materiales orgánicos" (60 horas, Universidad Politécnica)
"Aproximación a la organización de materiales" (45 horas, UAM)
Idiomas: Inglés. Nivel Superior
       Alemán. Nivel Intermedio
Informática: Nivel usuario

EXPERIENCIA PROFESIONAL

Repsol YPF. Julio-diciembre 2005. Becario en prácticas
Matspan. Marzo-junio 2006. Teleoperador de ventas
Muralim. Enero-septiembre 2007. Asistente de dirección

OTROS MÉRITOS

Disponibilidad para viajar
Carné de conducir. Vehículo propio

1 ¿Por qué el texto lleva el título de "Llave de papel"?

2 Busca en el texto los verbos que van seguidos siempre de una preposición (del tipo *quejarse de*). ¿Qué significan? Escribe una oración con cada uno de ellos.

3 Te presentamos un modelo de currículum, ¿por qué no redactas el tuyo propio?

AUTOEVALUACIÓN

1 **¿Estarías dispuesto .... vivir nuevas experiencias?**
a. ☐ en
b. ☐ a
c. ☐ de

2 **Mis padres se dedican .... la enseñanza.**
a. ☐ a
b. ☐ en
c. ☐ de

3 **En esa oferta de empleo se requiere tener experiencia**
a. ☐ en un puesto similar.
b. ☐ a un puesto similar.
c. ☐ por un puesto similar.

4 **Estoy pensando .... estudiar Filología. ¿Qué te parece?**
a. ☐ de
b. ☐ en
c. ☐ a

5 **No te quejes .... no tener trabajo. ¡No te interesa ninguno!**
a. ☐ en
b. ☐ a
c. ☐ de

6 **¡Vuelve inmediatamente aquí! En esta oración, el imperativo introduce**
a. ☐ una duda.
b. ☐ una orden.
c. ☐ un consejo.

7 **Te recomiendo que .... ese trabajo.**
a. ☐ aceptarías
b. ☐ aceptas
c. ☐ aceptes

8 **Yo, en tu lugar, ... un Máster.**
a. ☐ haría
b. ☐ hacería
c. ☐ harías

9 **En la Secretaría me aconsejan que .... ahora.**
a. ☐ me matriculo
b. ☐ me matricule
c. ☐ me matricularía

10 **Yo que tú, no .... a llamar.**
a. ☐ volvería
b. ☐ volviera
c. ☐ vuelvas

11 **Tu currículum vítae contiene**
a. ☐ tu biografía personal.
b. ☐ tu biografía académica y profesional.
c. ☐ tus experiencias del último año.

12 **¿Qué es la UNED?**
a. ☐ Una universidad a distancia.
b. ☐ Un curso presencial de idiomas.
c. ☐ Una academia de idiomas.

13 **Un cirujano es un médico especialista**
a. ☐ en cirugía.
b. ☐ en niños.
c. ☐ en la garganta.

14 **Un auxiliar de vuelo realiza su trabajo**
a. ☐ en un helicóptero.
b. ☐ en una cafetería.
c. ☐ en un avión.

15 **El femenino de *cantante* es:**
a. ☐ cantanta.
b. ☐ cantante.
c. ☐ cantadora.

16 **Solicitar un trabajo es sinónimo de**
a. ☐ pedir.
b. ☐ buscar.
c. ☐ encontrar.

17 **En un anuncio de empleo, la expresión *se requiere* hace referencia a:**
a. ☐ los requisitos que debe cumplir el solicitante.
b. ☐ lo que quiere el solicitante.
c. ☐ lo que ofrece la empresa.

18 **Estoy estudiando español para .... más posibilidades de empleo.**
a. ☐ que tendría
b. ☐ tener
c. ☐ teniendo

19 **Luis ha escrito a sus jefes para .... una cita.**
a. ☐ que concierte
b. ☐ concertando
c. ☐ concertar

20 **Para .... el trabajo, debes ser el mejor.**
a. ☐ que te den
b. ☐ que te darían
c. ☐ que darte

23 No es tan malo ser cotilla, ¿no?

¿Empezamos?

1 En grupo. ¿Cuánto sabéis sobre estos ricos y famosos? Mirad las fotos, ¿sabéis cómo se llaman? ¿Por qué son famosos? Contadle al resto del grupo todo lo que sepáis. Luego, leed las noticias aparecidas recientemente en una revista del corazón.

Funciones

- Hacer valoraciones
- Dar opiniones

Gramática

- *Ser* y *estar* combinados con adjetivos y sustantivos
- Pretérito perfecto de subjuntivo
- *Cuando* + presente de subjuntivo

Léxico

- Relaciones personales
- Opiniones y valoraciones

Cultura

- Prensa del corazón
- Personajes famosos

Bienvenidos a Beckingham Palace

Los Beckham construyen un parque de recreo para sus hijos en su mansión de Inglaterra.

El famoso futbolista del Real Madrid David Beckham y su esposa, Victoria, continúan ampliando su impresionante mansión de Hertfordshire (Reino Unido). En esta ocasión han construido un parque infantil en el que no falta un castillo de madera de dos plantas, con torres y puentes.

La feliz pareja parece haber olvidado el escándalo provocado por un supuesto romance de Beckham con la asistente personal de la familia.

Elsa Pataky y Fonsi Nieto

Tras cinco años de amor, la joven actriz confirmó su ruptura con el deportista.

Un mes después de conocerse el fin de su relación con Elsa, Fonsi, el joven corredor de motos, se refugió en los brazos de la modelo canaria Arianne Arpiles, con la que acabó casándose; mientras que la actriz se enamoró de su compañero de reparto, el francés Michael Youn. Actualmente, mantiene una relación con el también actor Adrien Brody.

La madrileña **Penélope Cruz** termin[...] relación con el ex de Nicole Kidman, T[...] Cruise después de dos años y medio. [...] la actualidad, los dos son buenos amig[...] Ella ha vuelto a encontrar el amor en [...] compañero de rodaje y viejo amigo, Ja[...] Bardem.

Jennifer López volvió a demostra[...] personal forma de vestir durante [...] estancia en España.

Jennifer López ha estado estos día[...] España promocionando su último di[...] La actriz acaba de rodar una película [...] Richard Gere por la que ha cobrado c[...] millones de euros. También conti[...] su trabajo como diseñadora de m[...] y cosmética, y se prepara para ser [...] perfecta mamá.

Belén Rueda y Daniel Écija

En mayo, la actriz y el produ[...] pusieron fin a trece años de relaci[...] uno de matrimonio. Belén Rueda y Da[...] Écija tienen dos hijas en común, de d[...] cinco años. Él sale con la modelo Va[...] Lorenzo y ella, dicen, tuvo un breve af[...] con Javier Bardem durante el rodaje [...] película *Mar adentro*.

¿Está claro?

1 ¿Con qué personaje de *¿Empezamos?* asocias cada una de estas expresiones?

a. Es normal que *haya encontrado* ya a otra persona.

b. Es raro que *sean* amigos todavía.

c. Para las niñas no es bueno que la pareja *haya roto*.

d. Es increíble que *hayan construido* un castillo para sus hijos.

e. Es importante *tener* una persona en quien confiar.

f. Está claro que *se quieren* mucho.

g. Es lógico que *se hayan separado*. No se parecían en nada.

h. Es evidente que ella le *ha perdonado* todo.

i. Es una pena que *hayan roto*.

j. No es lógico que *haya ganado* tanto dinero.

Fíjate en los verbos utilizados en estas expresiones, ¿en qué modo están?

2 ¿Qué palabras o expresiones usadas en las noticias de *¿Empezamos?* significan lo mismo que éstas?

1. presentar un disco	**7.** éxito
2. casa grande y lujosa	**8.** conjunto de actores
3. engaño a la pareja	**9.** antiguo novio
4. noticia sin confirmar	**10.** relación breve
5. terminar	**11.** hacer más grande
6. fin de una relación	**12.** muy conocida

Las cosas claras

1  De dos en dos. Leed estos titulares y expresad vuestra opinión utilizando las palabras del cuadro.

1. El padre de Julio Iglesias fue papá a los 85 años.

2. La policía británica investiga si el conductor del coche en el que murió la princesa Diana en agosto de 1997 pertenecía a los Servicios de Inteligencia del Reino Unido.

3. La modelo Gisele Bundchen brasileña ofrece 2 000 dólares como recompensa para quien encuentre a su mascota, una perrita de siete años de raza yorkshire.

4. El Príncipe de Asturias, futuro rey de España, contrajo matrimonio con Letizia Ortiz, una periodista sin sangre real y divorciada, con la que ya tiene dos hijas.

5. Sándwich preparado hace más de diez años, y en perfecto estado de conservación, en el que, según su propietaria, aparece la cara de la Virgen, sale a subasta en Internet, donde se ha llegado a ofrecer hasta 16 500€.

6. Más de un millón de españoles se registra en páginas web para buscar pareja. Esta cifra es tan elevada porque el servicio es gratuito.

increíble
verdad
una pena
una locura
indudable
normal
interesante
raro
claro
evidente
lógico
una ventaja

2000$ RECOMPENSA

PERRO PERDIDO
NOMBRE: VIDA

YORKSHIRE
POR FAVOR, LLAMA A VANIA

Pretérito perfecto de subjuntivo

Para hacer valoraciones y dar opiniones utilizamos estas estructuras.

Verbo ser + adjetivos y sustantivos:

Es +	adjetivo	raro normal interesante increíble malo / bueno peor / mejor importante necesario lógico	+ infinitivo + *que* + subjuntivo (presente, perfecto[1] ...)
	sustantivo	una pena una vergüenza una ventaja una locura una suerte	

Si algo es evidente podemos usar *ser* y *estar*:

Es +	*cierto* *evidente* *verdad* *obvio* *indudable*	*que* + indicativo

Está + *claro que* + indicativo

(1) Cuando la valoración es sobre algo que ha ocurrido en el pasado utilizamos el pretérito perfecto de subjuntivo.

> Es normal que tenga un nuevo novio.

> Sí, pero es una pena que haya roto con Tom.

PRETÉRITO PERFECTO DE SUBJUNTIVO

	presente de subjuntivo de *haber*	participio pasado
(yo)	haya	
(tú)	hayas	-ar > **-ado** separado
(él/ella, Vd.)	haya	-er > **-ido** comido
(nosotros/as)	hayamos	-ir > **-ido** venido
(vosotros/as)	hayáis	
(ellos/as, Vds.)	hayan	

> Recuerda que algunos participios son irregulares:
> -*cho*: dicho, hecho...
> -*to*: abierto, (des)cubierto, escrito, muerto, puesto, roto, visto, vuelto...
> -*so*: impreso...

2 Escucha esta noticia sobre Jennifer López y su antiguo novio y contesta.

1. ¿Qué ha pasado?
2. ¿Cuánto tiempo estuvieron juntos?
3. ¿Cuántas veces suspendieron su boda?
4. ¿Por qué ocurrió?

Nuestro entrevistador ha salido a la calle.
Escucha lo que opina la gente sobre la pareja y completa.

	¿Está de acuerdo con la ruptura?	¿Ha sido positiva o negativa?	La culpable es ella.	El culpable es él.	Han roto porque...
1					
2					
3					
4					
5					

3  **Formad dos grupos, uno será el defensor de Jennifer y otro el de Ben. Preparad vuestras opiniones sobre el personaje y la relación, y pensad qué argumentos podéis utilizar para defenderlo. Organizad un debate entre los dos grupos.**

4 Relaciona las dos columnas.

1. Cuando tenga tiempo, te llamo y quedamos.
2. Cuando tengo tiempo, me gusta leer la revista ¡Hola!
3. Si tengo tiempo mañana, voy a ir a la peluquería.
4. Cuando llegué era tarde y no te llamé.

a. algo que ocurrió en el pasado
b. algo que ocurrirá en el futuro
c. una rutina: ocurre siempre
d. una condición: puede que ocurra en el futuro o no

> Cuando hablamos de una situación futura y la situamos temporalmente, utilizamos el presente de subjuntivo y no el futuro.
>
> *Cuando* + presente de subjuntivo
> *Quiere tener niños, pero **cuando tenga** más tiempo.*

¡Cuando ~~tendré~~ tenga vacaciones, iré a verte!

5  **De dos en dos. Imaginad que sois los niños del dibujo. Pregúntale a tu compañero qué piensa hacer en las siguientes situaciones.**

¿Qué va a hacer tu compañero cuando...?	
Situación 1	
Situación 2	
Situación 3	
Situación 4	
Situación 5	

¿Qué vas a hacer cuando tengas 60 o 70 años?

¿Yo? Una operación de cirugía estética para quitarme las arrugas, por supuesto. ¿Y tú?

Adriana Domínguez
prefiere el cine a la costura

Adolfo Domínguez, que tiene una **videoteca** con los mejores títulos de la historia, les decía a sus tres hijas: «Venga, niñas, vamos a ver esta película de Orson Welles, que acaban de reeditarla y tiene una escena nueva que...». Después de haberse criado en este apasionado ambiente cinéfilo, no es raro que Adriana, de 28 años, la hija mayor, haya cambiado su brillante carrera de Empresariales por un futuro como actriz. Vive, estudia y trabaja en Los Ángeles, donde ha rodado ya cinco películas.

Cuando Adriana iba a clases de Derecho Mercantil **se le quedaba la mente en blanco.** Se acordaba de la semana de vacaciones que se había tomado para ver el rodaje de una película que produjo su padre y de cuando a los 18 años hizo de asistente de producción para ganarse *un dinerito*. A ella **lo que le iba** era la literatura, el arte o la historia, pero en casa de Adolfo Domínguez la disciplina escolar es sagrada. Las tres hermanas hablan varios idiomas, tras estudiar en internados europeos desde los ocho años. Valeria, la segunda, ingeniera de robótica, ahora es *broker* inmobiliario en Nueva York. Y Tiziana, de 19 años, estudia Arte y es una excelente pintora.

Adriana acabó Empresariales, **hizo prácticas** en un banco y en un hotel, «pero no me gustaba nada, estaba disgustada, iba descontenta al trabajo». Así que se fue a Nueva York a estudiar dirección, interpretación y guión. Está orgullosa de su educación cosmopolita pero se considera gallega **hasta la médula.** Y de aldea, como sus abuelos y bisabuelos. Adolfo Domínguez y su familia viven en pleno campo, de forma idílica.

Ninguna de las tres hijas se ha preparado para dirigir la empresa familiar, un auténtico imperio. «Mis padres tienen un equipo fantástico –dice Adriana– no nos necesitan».

Artículo de María Eugenia Yagüe (abreviado). *EL MUNDO*

Antes de leer el artículo, fíjate en los títulos y en las fotos. ¿Sobre qué crees que tratará?

1 📖 Lee ahora el artículo y contesta. El sufijo griego "-teca" significa "caja", es decir, "lugar en el que se guarda algo", ¿qué es...?

- una videoteca
- una hemeroteca
- una filmoteca

¿Conoces más palabras similares?

2 ¿Sabes lo que significan estas expresiones? Búscalas en el diccionario.

- *quedársele (a alguien) la mente en blanco*
- *irle algo (a alguien)*
- *hacer prácticas*
- *ser* + adjetivo + *hasta la médula*

3 Completa esta tabla sobre las hijas de Adolfo Domínguez.

nombre	edad	estudios	profesión

4 ¿Qué crees que pensará Adolfo Domínguez? ¿Por qué?

a. – "Es una pena que ninguna de mis hijas quiera seguir mis pasos".

b. – "Es lógico que cada una haya seguido su carrera sin pensar en el negocio familiar".

5 ✏️ Escribe una breve noticia centrada en alguna de las otras dos hijas de Adolfo Domínguez.

AUTOEVALUACIÓN

1 Está .... que son amigos.
   - a. ☑ claro
   - b. ☐ obvio
   - c. ☐ evidente

2 Es importante que la pareja .... muy unida.
   - a. ☐ está
   - b. ☑ esté
   - c. ☐ ha estado

3 El pretérito perfecto de subjuntivo del verbo *ser* es:
   - a. ☐ ha sido
   - b. ☐ había sido
   - c. ☑ haya sido

4 La pareja tiene dos hijos, pero no ....
   - a. ☐ tiene matrimonio.
   - b. ☑ está casada.
   - c. ☐ está matrimonada.

5 Es .... que no se llevan bien.
   - a. ☐ claro
   - b. ☐ una ventaja
   - c. ☑ obvio

6 Iremos cuando ....
   - a. ☐ puedamos.
   - b. ☑ podamos.
   - c. ☐ podremos.

7 .... a este gato, llama al 91 345 78 35.
   - a. ☐ Cuando haya visto
   - b. ☑ Si ves
   - c. ☐ Cuando viste

8 El pretérito perfecto de subjuntivo del verbo *romper* es:
   - a. ☑ haya roto.
   - b. ☐ ha rompido.
   - c. ☐ haya rompido.

9 ¿No es raro .... tanto tiempo separados?
   - a. ☐ que están.
   - b. ☑ que estén.
   - c. ☐ estén.

10 Parece increíble .... Laura .... ese traje de fiesta.
   - a. ☑ que / haya diseñado
   - b. ☐ Ø / diseñar
   - c. ☐ diseñar / Ø

11 .... evidente que no saben nada.
   - a. ☐ Está
   - b. ☑ Es
   - c. ☐ Soy

12 Es una locura .... a sus hijos.
   - a. ☑ que hayan abandonado
   - b. ☐ que abandonar
   - c. ☐ que han abandonado

13 Cuando .... el artículo, avisadme ¿vale?
   - a. ☐ encontráis
   - b. ☐ encontraréis
   - c. ☑ encontréis

14 ¿Es verdad que todos los periodistas .... ya?
   - a. ☑ han llegado
   - b. ☐ hayan llegado
   - c. ☐ sean

15 ¡Es .... que se haya quedado solo!
   - a. ☐ indudable
   - b. ☑ una pena
   - c. ☐ un raro

16 ¿Cree que es normal que .... su boda?
   - a. ☑ hayan cancelado
   - b. ☐ han cancelado
   - c. ☐ han cancelados

17 ¿No .... tantos programas del corazón?
   - a. ☑ es malo ver
   - b. ☐ está malo que vea
   - c. ☐ está malo ver

18 Una persona casada necesita .... para poder casarse otra vez.
   - a. ☑ divorciarse
   - b. ☐ separarse
   - c. ☐ divorciar de su ex

19 Cuando .... una gira, me hace un regalo. ¡Es muy detallista!
   - a. ☐ haya terminado
   - b. ☑ termina
   - c. ☐ terminará

20 ¿Es cierto que Penélope y Tom ya no .... pareja?
   - a. ☐ sean
   - b. ☑ son
   - c. ☐ han sido

¿México, Venezuela o Chile?

Comprensión auditiva

1 Escucha esta entrevista realizada a tres personas procedentes de tres países de América Latina: México, Venezuela y Chile.

Octavio Paz (1914-1998)
Andrés Bello (1781-1865)
Gabriela Mistral (1889-1957)

¿De qué país es cada bandera? ¿A quién corresponde cada una de las descripciones? Si no lo sabes, haz suposiciones.

> - Futuro simple
> - *Quizá(s) / Tal vez / Probablemente* + subjuntivo

Ejemplo: *No sé de qué país es la bandera n.º 1, **quizá sea** de México...*

La bandera n.º 1 _____
La bandera n.º 2 _____
La bandera n.º 3 _____
La persona de la foto n.º 4_____
La persona de la foto n.º 5_____
La persona de la foto n.º 6_____
¿Quién ha sido diplomático? _____
¿Quién ha recibido el Premio Nobel? _____
¿Quién ha sido político, además de lingüista? _____

Hablar

1 De dos en dos. Compara tus resultados con los de tu compañero.

2 ¿A quién de los tres autores crees que le sucedió...? Pregúntale a tu compañero. Si no lo sabes, haz hipótesis.

Ejemplo: – ¿Quién crees que tradujo a Lord Byron? / – No sé, lo **traduciría** Andrés Bello... era filólogo, ¿no?

1. traducir a Lord Byron y Molière
2. viajar a París
3. ser amigo de Albert Camus y de otros intelectuales europeos
4. ser su padre profesor
5. ser rector de la Universidad de Santiago de Chile
6. utilizar pseudónimo

7. ser cónsul en Madrid, Lisboa y Los Ángeles
8. morir tras una larga enfermedad
9. conceder Chile la ciudadanía
10. suicidarse su gran amor
11. viajar a la India y a Japón
12. publicar a los 17 años su primer poema
13. influir en muchos escritores, como Pablo Neruda

Comprender

1 Antes de leer los textos, ¿en qué crees que se basa la economía de...?

1. VENEZUELA   **2.** MÉXICO   **3.** CHILE

- [ ] artesanía
- [ ] minerales: cobre, gas, petróleo, carbón, hierro, aluminio...
- [ ] ganadería: carne, leche, ovejas, vacas, cerdos, caballos...
- [ ] madera
- [ ] agricultura: trigo, arroz, patata, tomate, café, tabaco, maíz, cacao...
- [ ] industria

Ahora lee los textos y comprueba si tus respuestas son correctas.

CHILE

Chile dispone de uno de los mayores yacimientos de cobre conocidos y es uno de los principales exportadores mundiales de este metal. El Teniente es la mayor mina de cobre subterránea del mundo. Desde principios del siglo XX, la economía chilena ha estado dominada por la producción de cobre. A partir de la década de 1940, el sector industrial se expandió rápidamente, en gran medida por iniciativas gubernamentales. En la actualidad, Chile es uno de los principales países industrializados de América Latina, así como uno de los más importantes productores de minerales.

Por otro lado, aproximadamente el 14 % de la población activa chilena se dedica a la agricultura. Cultivan trigo, patata, maíz, arroz, remolacha azucarera, tomate y avena. El sector frutícola es muy importante e incluye uva, melón, manzana, melocotón (durazno), albaricoque (damasco), ciruela y cereza. El país cuenta, además, con una prestigiosa industria vinícola: Chile es uno de los principales productores de vino del mundo. Al sur, en Tierra del Fuego, se cría ganado ovino, vacuno, porcino y caballar.

VENEZUELA

La economía venezolana se basa principalmente en la explotación del petróleo y sus derivados. En las últimas décadas tiende a diversificarse con exportaciones de hierro, aluminio, carbón y cemento, y productos elaborados con acero. La mayor parte del petróleo se extrae de la cuenca del lago de Maracaibo –en el nordeste–, con el peligro que este hecho encierra para la preservación del medio ambiente. Por ello se creó el Instituto para el Control y la Conservación de la Cuenca del Lago de Maracaibo, que pretende mantener la explotación de este producto sin causar daños irreparables en el entorno natural. La mayor parte del petróleo se exporta a Estados Unidos, Europa y otros países de Latinoamérica. Venezuela es, además, uno de los principales productores mundiales de gas natural.

Los variados recursos agrarios venezolanos incluyen diversos sistemas productivos que van desde la agricultura desarrollada en pequeñas huertas, donde se cultivan productos para el consumo doméstico, hasta plantaciones de diversos tipos, como las dedicadas al cultivo de café, cacao, caña de azúcar, tabaco, maíz, arroz, girasol, algodón y otros productos comerciales. En la región centro-occidental del país se ha establecido una próspera zona de producción intensiva de carne y leche.

MÉXICO

México refleja el cambio de una economía de producción primaria, basada en actividades agropecuarias y mineras, hacia una semi-industrializada. La actividad agraria mexicana, que incluye la cría de ganado, proporciona trabajo a un 25 % de la mano de obra del país. Junto a las pequeñas granjas familiares y las grandes haciendas, las explotaciones comunales, también llamadas ejidos, producen una gran variedad de cultivos: maíz, trigo, cebada, arroz, legumbres, patatas, café, algodón, caña de azúcar, fruta y hortalizas. México no solo genera los productos para cubrir la mayoría de sus necesidades básicas, sino que también exporta parte de su producción.

Aproximadamente el 29 % del país está cubierto por bosques. Debido a la tala incontrolada de ricas áreas madereras, la explotación forestal está actualmente regulada por el Gobierno.

El recurso minero de mayor importancia es el petróleo. Su producción está controlada por una agencia perteneciente al Gobierno. La producción de plata también es considerable.

Los productos manufacturados constituyen un creciente porcentaje de la economía mexicana. Aunque también ha tratado de conservar y difundir su artesanía: artículos que son valorados internacionalmente, como objetos hechos de cerámica, madera, oro, plata, vidrio, textiles y piel.

2 ¿Qué productos exporta cada país? ¿Cuál es su destino final?

3 Completa estas oraciones con información de los textos anteriores.

- Es normal que en Venezuela _____ el Instituto para el Control y la Conservación de la Cuenca del Lago de Maracaibo para _____.

- Es verdad que en México _____.

- Es mejor que en México la explotación de la madera _____.

- Es indudable que en Chile _____.

Escribir

1 ¿Recuerdas las estructuras para dar consejos, recomendaciones y órdenes?
Une con flechas.

Busca trabajo en...

Te aconsejo que busques trabajo en...

Te recomiendo que busques trabajo en...

No busques trabajo en...

Yo que tú, buscaría trabajo en...

imperativo

condicional

verbos de influencia + subjuntivo

Da consejos a todas estas personas que buscan trabajo: dónde pueden buscar, en qué país, qué deben hacer, etc. Puedes utilizar las ideas del cuadro.

Este año he terminado la carrera de Ingeniería Industrial. Me gustaría trabajar fuera de Alemania y mejorar mi nivel de español. (Klaus, Alemania)

Mi nombre es Tom Lyons, vivo en San Diego (EE UU) y tengo una empresa de distribución de vinos españoles. Me gustaría trabajar durante algún tiempo en otro país, para conocer otros productores, intercambiar ideas, etc. (Tom, Estados Unidos)

Soy bióloga y me he especializado en la gestión de residuos industriales. No tengo experiencia, pero sí muchas ganas de aprender. (María, España)

Hablar

1 ¿Cómo sería tu trabajo ideal? Prepara una pequeña exposición.

No olvides incluir:

- *dónde estaría*
- *tu horario*
- *tus funciones*
- *tu sueldo...*

¿QUÉ SÉ HACER?

Señala todas las actividades que ya puedes hacer. Si no recuerdas alguna,
vuelve a la unidad de referencia y repásala.

COMPRENSIÓN ESCRITA

¿Qué sabes hacer...?

☐ Comprendo textos sobre temas relacionados con mis intereses, por ejemplo, la comunicación (20).

☐ Soy capaz de buscar información específica en folletos o anuncios publicitarios (20, 21 y 22).

☐ Entiendo la descripción de acontecimientos, sentimientos y hechos, en cartas personales (22).

☐ Soy capaz de entender instrucciones sencillas (22).

☐ Entiendo, en líneas generales, textos sobre la biografía de una persona (23).

☐ Puedo buscar datos concretos en textos más o menos extensos (23).

☐ Soy capaz de deducir palabras por el contexto en el que están y, con ello, comprender el texto de forma global (23).

COMPRENSIÓN AUDITIVA

¿Qué puedes entender...?

☐ Comprendo conversaciones de la vida cotidiana relacionadas con las vacaciones y los viajes (21) y temas que conozco, por ejemplo, las relaciones personales (23).

☐ Soy capaz de entender programas de radio y/o entrevistas cuando la articulación es clara, y puedo extraer determinada información (20 y 22).

EXPRESIÓN ORAL

¿Qué puedes expresar...?

☐ Puedo justificar mis opiniones y dar consejos y órdenes (20).

☐ Soy capaz de describir mis sueños (21).

☐ Soy capaz de expresar la probabilidad, duda o suposición (21).

☐ Puedo hablar de acciones futuras (21).

☐ Sé expresar la condición (21).

☐ Puedo hablar de la finalidad (22).

☐ Sé preparar una breve presentación sobre un tema conocido (22).

☐ Soy capaz de hacer valoraciones y dar mi opinión sobre temas que me interesan (23).

INTERACCIÓN ORAL

¿Qué puedes hacer...?

☐ Puedo intercambiar información, pedir y dar consejos y órdenes sobre un tema que me interese (20).

☐ Soy capaz de describir cómo sería un lugar ideal por medio de una estructura condicional (21).

☐ Soy capaz de expresar y explicar mi opinión, y argumentar un razonamiento (21, 22 y 23).

EXPRESIÓN ESCRITA

¿Qué puedes hacer...?

☐ Puedo tomar notas mientras otras personas hablan (20 y 22).

☐ Sé exponer mis opiniones (21).

☐ Puedo elaborar un anuncio de una oferta de trabajo (22).

☐ Soy capaz de escribir cartas personales que describen experiencias, sentimientos, para pedir consejos o recomendaciones (22).

☐ Puedo redactar mi propio currículum vítae (22).

☐ Soy capaz de escribir textos sencillos y coherentes (por ejemplo, una noticia) sobre temas conocidos o que me interesan (23).

A-Z Soy capaz de utilizar y comprender vocabulario sobre los siguientes temas:

☐ El aprendizaje de lenguas (20).

☐ Situaciones habituales en un viaje (21).

☐ Profesiones y actividades laborales (22).

☐ Ofertas de empleo (22).

☐ Relaciones personales (23).

☐ Opiniones y valoraciones (23).

¿Buscas algo?

Funciones

▶ Describir algo conocido/desconocido

▶ Hablar del desarrollo de una acción

Gramática

▶ Descripción con indicativo y subjuntivo

▶ Perífrasis verbales

▶ Preposiciones

Léxico

▶ Periódicos, revistas, televisión, Internet

▶ Transcurso de una acción

Cultura

▶ Medios de comunicación en español

¿Empezamos?

1 📖 🖱️¹⁵ **Lee los anuncios breves del periódico y escucha a estas ocho personas.**

INMOBILIARIA ALQUILER MADRID

PISOS/APARTAMENTOS
SERRANO 91 4809800
Ático, 130 metros, excelentes vistas, dos dormitorios, dos baños, despacho, dos terrazas, 3 000 euros.

SOL 91 9086732
Buhardilla, edificio época bohemia, 80 metros, un dormitorio, un baño, mucha luz, amueblado, aire acondicionado, 1 100 euros.

SOMOSAGUAS 91 6754320
Piso, 300 metros, cuatro dormitorios, un baño, aseo, urbanización vigilada 24 horas, piscina, garaje, 1300 euros.

¿Te gustaría vivir en el corazón de Madrid?
Apartamentos de 1 dormitorio y estudios con garaje.
En la calle Gaztambide.
Información: 91 3907500.

LOCALES/OFICINAS

ARAVACA   91 7659037
Oficina 130 metros, diáfana, reformada, aseos, alarma, ideal oficina, academia, clínica.

BRAVO MURILLO
91 7539071
Zona comercial, 60 metros.
Válido cualquier comercio.
3 300 euros.

MOTOR AUTOMÓVILES

SE VENDE PEUGEOT 307
Año 2004. 20.000 Km. Azul.
E/E, A/A, air-bag, ABS.
Tel.: 678 823 945.

RENAULT 5
ITV pasada. Ideal principiantes.
Rojo. Motor revisado. Buen estado. Tel.: 666 850 741. Llamar 8.00-15.00 horas.

TRABAJO OFERTAS

LONDRES Empleos en hoteles, canguros.
www.londonjobs.net

PROMOTORA INMOBILIARIA
necesita incorporar:

ARQUITECTO
Con experiencia de al menos 3 años en obras y proyectos urbanísticos.

GESTOR
Licenciatura en Derecho.
Incorporación inmediata.

AUXILIAR ADMINISTRATIVO
Conocimientos de contabilidad, inglés y/o alemán.

Interesados enviar C.V. con fotografía a:
rrhh@inmobiliaria.es

VARIOS

MUEBLES DE OFICINA
Venta de dos despachos completamente equipados. Sin estrenar.
Precio económico.
Tel.: 629 406 092.

SE VENDE POR FALTA DE ESPACIO sofás 2 y 3 plazas, por 450 euros. Azul marino. Usados 2 meses. Mejor ver.
Tel.: 655 535 200.

POR SÓLO 100 EUROS
Se vende bicicleta de montaña para niños hasta 10 años.
Tel.: 91 345 77 30.

¿Está claro?

1 Elige la respuesta correcta.

1. Laura _____ a Madrid.

   a. sigue mudándose

   b. acaba de mudarse

   c. deja de mudarse

2. Manuel está _____ un local.

   a. buscando por

   b. buscar

   c. buscando

3. Ana _____ el carné de conducir.

   a. está a punto de sacarse

   b. acaba de sacándose

   c. lleva sacándose

4. Luis quiere _____ su casa.

   a. dejar decorar

   b. volver a decorar

   c. termina de decorar

2 En los anuncios por palabras no suele haber preposiciones. Colócalas.

por de en para con a

a + el = al
de + el = del

1. Alquilo un ático _____ 130 m, _____ excelentes vistas, dos dormitorios y dos baños, _____ 3 000 euros _____ el mes.

2. Vendo un *Renault 5* _____ color rojo, es ideal _____ principiantes y está _____ buen estado. Si le interesa, llámeme _____ el número 666 850 741, _____ 8 _____ 3, _____ las mañanas.

3 Unas personas venden cosas que tienen, otras buscan. ¿Te has fijado en cómo usan los verbos? Completa con el verbo *tener*.

1. Vendo un coche que _____ 20 000 km.

2. Necesito un auxiliar administrativo que _____ conocimientos de contabilidad.

Las cosas claras

1 De dos en dos. Elige tres imágenes y descríbeselas a tu compañero, pero sin decir cuáles son.

Es algo que lees cuando...
Es una revista que trata de...

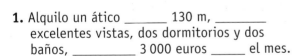

Para describir cosas o personas utilizamos estas estructuras. Es importante tener en cuenta si son conocidas o no.

algo (o alguien) que conozco: verbo en **indicativo**

Alquilo un ático que **tiene** cuatro dormitorios, dos baños y un aseo. Está en una urbanización vigilada, que **tiene** piscina y gimnasio.

algo (o alguien) que no conozco, busco, necesito: verbo en **subjuntivo**

Necesito un piso que **tenga** dos dormitorios y que esté bien comunicado.

2 🔊 **16** Escucha esta conversación y completa la tabla.

	me gusta 😄	no me gusta 😞
Laura		
Manuel		
Paz		
Luis		

3 🔲 De dos en dos. Vais a diseñar una página web para colgarla en Internet.

Fijaos en esta página y buscad estos elementos: dirección, logo empresa, idioma, contacto, cesta de la compra, enlace al catálogo y noticias.

> **Ahora, decidid cómo será vuestra página. Podéis utilizar estas estructuras:**
>
> ¿Qué te parece una página **sobre** _____ **con** muchas fotos?
> Una página que **tenga** información pero **sin** mucho texto...

4 🔲 En grupo. Pregunta a tus compañeros si han empezado, continúan, han terminado o suelen hacer estas actividades. Luego, cuéntaselo al resto.

	Empezar	Seguir	Repetir	Terminar
Estudiar español				
Comprar cinco discos a la semana				
Morderse las uñas				
Hacer la compra por Internet				
Escribir (poesía, una novela...)				

¿Cuánto tiempo llevas estudiando español?

Empecé hace un año y medio, más o menos, cuando llegué a España.

Para hablar del desarrollo de una acción son muy útiles estas estructuras verbales:

Una misma acción desde diferentes puntos de vista:

INICIO			TRANSCURSO			FINAL			REPETICIÓN	
Ir a *Ponerse a* *Empezar a* *Comenzar a* *Estar a punto de*	**+ leer el periódico** **+ abrir**		*Estar* *Seguir* *Continuar* *Llevar*	**+ leyendo el periódico**		*Dejar de* *Parar de* *Terminar de* *Acabar de*	**+ leer el periódico**		*Soler* *Volver a*	**+ leer el periódico**

OBLIGACIÓN

Tener que *Deber* *Haber* que*	**+ leer el periódico**

Estos grupos de verbos se llaman PERÍFRASIS VERBALES

* Sólo en la tercera persona de singular:
Hay / había / hubo que leer el periódico

A este texto le faltan las perífrasis verbales. Fíjate en el cuadro anterior e intenta completarlas.

Corazón de tiza
(Letra y música: S. Auserón)

Si te _____ ver pintar
un corazón de tiza en la pared,
te _____ dar una paliza por haber
escrito mi nombre dentro.

Tú lo has hecho porque ayer yo te invité
cuando ibas con tu amiga de la mano.
Se _____ encender todas las luces
Era tarde y nos reímos los tres.

...
Luego _____ esperándote en la plaza
y las horas se marchaban sin saber qué hacer.
Cuando al fin te vi venir yo te llamé por tu
    nombre,

pero tú no _____ correr.
...
Me parece que aquel día tú _____ ser mayor.
Me pregunto cómo te han convencido a ti,
te dijeron que jugar es un pecado
o es que viste en el cine algún final así.

...
Yo tenía la intención de olvidarlo
y al salir el otro día no pensaba en ti,
pero vi justo en mi puerta dibujado un corazón
y mi nombre estaba escrito junto al tuyo.
...

5 Escucha la canción de Radio Futura –un grupo pop español– y comprueba tus respuestas.

De tres en tres. Cada grupo elige una tarjeta y escribe su anuncio. Poned una foto, si es posible. Después, cada grupo explicará su anuncio al resto y expondrá por qué ha utilizado indicativo o subjuntivo.

Hoy necesitáis revistas, tijeras y pegamento

Se os ha perdido vuestro gato. Así que habéis decidido poner un cartel con una foto, su nombre, una descripción física, etc., y explicáis dónde se perdió, cuándo... Además, ofrecéis una recompensa (**100 €**).

Queréis hacer un intercambio de inglés-español, y decidís poner un anuncio en la facultad. Tenéis que explicar qué tipo de personas buscáis, de qué edad, con qué estudios, aficiones, etc. y también cómo sois vosotros.

Vuestro compañero de piso se acaba de marchar y estáis buscando a alguien, por eso vais a poner un anuncio donde describís el piso, la habitación y vuestras preferencias.
Sois vegetarianos, no fumáis y no os gustan los animales. Buscáis a alguien similar a vosotros.

WANTED
(SE BUSCA)

RECOMPENSA
100 €

AUTOEVALUACIÓN

1 *Vendo una bicicleta que está nueva* significa que está ....
- a. ☐ con estrenar.
- b. ☑ sin estrenar.
- c. ☐ ya estrenada.

2 *Mudarse* es lo mismo que ....
- a. ☑ cambiarse de casa.
- b. ☐ moverse de casa.
- c. ☐ comprar una casa.

3 Las revistas que cuentan la vida de ricos y famosos se llaman ....
- a. ☐ amarillas. → *more sensacional*
- b. ☐ basura.
- c. ☐ del corazón. → *cheesy*

4 ¿Tiene el ....? Se lo doy por si acaso: rrhh@inmobiliaria.es.
- a. ☐ buzón
- b. ☑ correo electrónico
- c. ☐ dirección postal

5 .... es la última planta de un edificio.
- a. ☑ Un ático
- b. ☐ Un local
- c. ☐ Un estudio

6 Estoy buscando .... el periódico, ¿lo has visto?
- a. ☐ en
- b. ☐ por
- c. ☑ Ø

7 Estamos en casa .... 7:00 .... 10:00. Llámanos.
- a. ☑ de / a
- b. ☐ de / hasta
- c. ☐ a / de

8 Laura está trabajando .... Madrid.
- a. ☐ para
- b. ☐ a
- c. ☑ en

9 Lo compraste .... 100 €, ¿no?
- a. ☑ por
- b. ☐ con
- c. ☐ para

10 Es una casa .... mucha luz.
- a. ☐ de
- b. ☑ con
- c. ☐ para

11 Manuel empieza .... mañana.
- a. ☐ trabajar
- b. ☑ a trabajar
- c. ☐ trabajando

12 ¡Llevo una hora .... esta página!
- a. ☑ buscando
- b. ☐ a buscar
- c. ☐ buscar

13 La semana pasada .... fumar.
- a. ☐ terminó de
- b. ☐ acabó de
- c. ☑ dejó de

14 ¿Cuándo .... el telediario?.
- a. ☐ soléis a ver
- b. ☑ soléis ver
- c. ☐ volvéis viendo

15 ¡............... hacer algo con estos muebles! ¿los vendemos?
- a. ☑ Tenemos que
- b. ☐ Comenzamos a
- c. ☐ Seguimos

16 Necesitamos un gestor que .... incorporarse inmediatamente.
- a. ☐ puede
- b. ☑ pueda
- c. ☐ quiere

17 ¿Vendes tu coche? Pero si .... nuevo.
- a. ☐ esté
- b. ☐ estás
- c. ☑ está

18 Es un programa que .... debates y entrevistas.
- a. ☐ incluya
- b. ☑ incluye
- c. ☐ trata

19 Busco páginas que no .... muchas fotos; quiero información, no álbumes.
- a. ☑ tengan
- b. ☐ tenga
- c. ☐ tienen

20 ¿Hay algún programa que no .... la vida de nadie?
- a. ☐ cuenta
- b. ☐ tenga
- c. ☑ cuente

¡Qué arte tienes!

Funciones

▶ Dar opiniones
▶ Hacer valoraciones
▶ Describir

Gramática

▶ Esquema de uso de los verbos *pensar*, *creer* y *parecer*
▶ Repaso de los verbos *ser* y *estar*

Léxico

▶ Pintura
▶ Arquitectura

Cultura

▶ Monumentos de España e Hispanoamérica
▶ Arte románico
▶ Gaudí

¿Empezamos?

1 📖 🙂 **Contesta a estas preguntas y compara tus respuestas con las de tus compañeros.**

1. **¿Quién es el autor del cuadro *El triunfo de Baco* o *Los Borrachos*?**
   a. Creo que es Goya.
   ● b. Yo pienso que es Velázquez.
   c. Pues, a mí me parece que es Picasso.

2. **¿Por qué es famoso el mexicano Diego Rivera?**
   a. Me parece que por sus retratos, pero no estoy seguro.
   ● b. Yo creo que por sus murales.
   c. Pienso que es conocido por sus esculturas.

3. **¿De qué estilo es La Sagrada Familia, de Gaudí?**
   a. Pienso que es una catedral románica.
   ● b. No creo que sea románica, es modernista.
   c. Es barroca.

4. **¿De qué civilización es símbolo la ciudad de Machu Picchu?**
   a. Pienso que de la maya.
   b. No creo que sea de la civilización maya, sino de la azteca
   ● c. Estoy seguro de que es una ciudad inca.

5. **En tu opinión, ¿cuál es el mejor pintor español?**
   a. Para mí, sin duda, es Velázquez.
   ● b. En mi opinión, es Picasso.
   c. Pues, a mí me gusta más Murillo.

6. **¿Qué te parece el Acueducto de Segovia?**
   a. Está muy bien conservado. Me gusta.
   b. No sirve para nada.
   c. ¿Qué es un acueducto?

2 🙂 **En grupo. ¿Con qué nombres del test anterior relacionas las imágenes?**

¿Está claro?

1 ¿Qué expresiones utilizas cuando estás más seguro de algo? Ordena estas respuestas según el grado de seguridad.

	+ SEGURO	− SEGURO
a. Creo que el autor es Goya.		
b. Estoy seguro de que es una ciudad inca.		
c. Me parece que es Picasso.		
d. Es una catedral barroca.		

2 ¿*Ser* o *estar*? Completa estas oraciones.

- El cuadro *El triunfo de Baco* _____ en el Museo del Prado.
- Diego Rivera _____ de México.
- Machu Picchu _____ en Perú, cerca de Cuzco.
- La Alhambra y la Mezquita de Córdoba _____ dos símbolos del arte musulmán.

3 Busca en ¿*Empezamos?* diferentes ejemplos para estas categorías.

Artistas	Obras	Estilos	Tipos de obra
Goya	El triunfo de Baco	románico	retrato

Aquí tienes algunas palabras más que puedes añadir:

palacio - neoclásico - Monet
abstracto - iglesia - El Guernica

4 Relaciona las dos columnas.

1. Creo que

2. No creo que

a. pinte mejor que Velázquez.
b. es famoso por sus cuadros.
c. está en Madrid.
d. sea de Gaudí.

Las cosas claras

1 Antes de escuchar, relaciona los significados de estas dos columnas.

1. un gran impulso
2. los estudiosos
3. arco y bóveda
4. integración
5. Derecho romano
6. vías de comunicación
7. aislado
8. rural
9. contrapunto
10. sufrimiento

a. mal comunicado
b. contraste, lo diferente
c. carreteras, puentes, caminos
d. los investigadores
e. dolor
g. leyes del Imperio romano
h. elementos arquitectónicos
i. un gran auge
j. unificación
no urbano

2 Escucha este fragmento del primer capítulo de una serie de televisión dedicada al arte románico y completa esta ficha.

Tema	El arte románico
¿Cuándo?	Siglos...
¿Dónde?	
¿Por qué se llama así?	
Influencias de Roma	
El fin del Imperio significa	

3 🗨️ **De dos en dos. ¿Qué información recuerdas del texto que acabas de escuchar? Haz una lista con tu compañero. Escucha otra vez el fragmento y contesta.**

1. ¿Qué pasa en el año 1000?

2. ¿El románico nace en los reinos árabes y en Roma?

3. ¿Qué significa que es un arte integrador?

4. ¿Cuál es la institución más importante del Imperio romano?

5. ¿Conoces algún ejemplo de obras públicas?

6. La sociedad de los siglos XII y XIII es principalmente urbana, y las ciudades están bien comunicadas. ¿Verdadero o falso?

7. ¿Qué religión se practicaba en la Península Ibérica?

8. ¿Llegan los árabes a España justo después de la caída del Imperio romano?

Monasterio de Estíbaliz (Vitoria-Gasteiz)

4 🗨️ **De dos en dos. ¿Son verdaderas o falsas estas afirmaciones? Pregúntale a tu compañero qué opina y luego da tu opinión.**

1. Gaudí muere atropellado por un tranvía. Se suicida.

2. Picasso nace en Francia, pero vive muchos años en España.

3. Diego Rivera es un gran pintor mexicano del siglo XVI.

4. Goya diseña la catedral de León.

5. El Guernica de Picasso representa la felicidad.

6. Vincent van Gogh pinta *Los girasoles*, uno de los cuadros más caros de la historia, pero muere pobre y sin ser famoso.

7. Madrid es la capital del Modernismo español.

Para dar nuestra opinión o hacer una valoración utilizamos:

creer   pensar   parecer

Si es positiva:

Creo / Pienso / Me parece que + INDICATIVO

Si es negativa:

No creo / No pienso / No me parece que + SUBJUNTIVO

Si es una pregunta:

¿(No) crees / (No) piensas / (No) te parece que + INDICATIVO?

> **Ejemplo:** – ¿No crees que está bien conservado?
> – ¿Te parece que está bien conservado?

También usamos:

En mi opinión,... / Para mí,... / Desde mi punto de vista,...

> **Ejemplo:** – Para mí, el mejor pintor español es Velázquez.
> – En mi opinión, es Picasso.

5 De cuatro en cuatro. Cada pareja es un equipo. Por turnos, un miembro de cada pareja elige un monumento y tiene dos minutos para describírselo –sin decir el nombre– a su compañero. Este tiene que adivinar cuál es y también puede hacer preguntas. Gana el equipo que más monumentos acierte.

RESULTADOS	
Equipo A	Equipo B

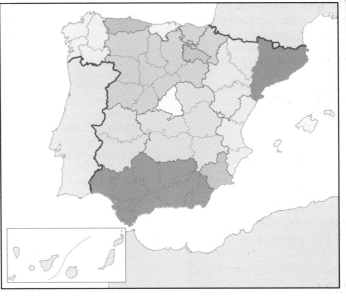

Para describir también usamos *ser* y *estar*:

ser	*estar*
• **característica**	• **estado**
Es (una catedral) barroca.	Este edificio *está* muy bien conservado.
• **identificación**	• **proceso:** estar + gerundio
Ese *es* Picasso.	*Está* estudiando Arte.
• **origen o nacionalidad**	• **profesión o actividad**
Picasso *es* español.	**temporal** (estar de)
• **profesión**	Estudio Filología, pero ahora *estoy de* guía turístico.
Picasso *es* pintor.	• **localización de un lugar**
• **localización de un acto, evento...**	La Alhambra *está* en Granada.
¿Dónde *es* la conferencia?	

 ¡Ojo!

• Algunos **adjetivos** se utilizan con *ser* y *estar*: *guapo, delgado, alegre, grande, alto*... con un significado ligeramente diferente:

Es un edificio alto y muy grande (descripción objetiva o características permanentes)

Luis **está** muy alto para su edad (descripción no objetiva o características temporales)

• Otros **adjetivos** cambian su significado totalmente según se usen con *ser* o con *estar*: *listo, rico, abierto, cerrado*...

Era una persona muy abierta (abierta de carácter, extrovertida)

La puerta **está** abierta, ¿entramos? (abierta es lo contrario de *cerrada*)

1 De dos en dos. Cada uno leerá una parte de la biografía de Gaudí. Luego, hará preguntas a su compañero para completar su cuestionario.

Antonio Gaudí fue un arquitecto catalán y el máximo representante del Modernismo y uno de los principales pioneros de las vanguardias artísticas del siglo xx.

A comienzos del siglo xx levantó otras tres obras no menos sorprendentes en la capital catalana: en 1900 empezó el proyecto del Parque Güell; en 1904 comenzó a trabajar en la casa Batlló; y en 1906 en la casa Milá, conocida como La Pedrera. El Parque Güell iba a ser una ciudad jardín, una comunidad independiente de unas 60 viviendas, con muchos jardines y senderos para pasear. El proyecto no se terminó nunca: se construyeron varios pabellones, el mercado, un banco en forma de serpiente y otros elementos decorativos.

Gaudí también fue un destacado diseñador: realizó forjas para balcones y puertas de casas; diseñó muebles para distintos encargos privados. Su obra ejerció innumerables influencias sobre las vanguardias: hay paralelismos con el expresionismo alemán y la herencia recogida por Salvador Dalí y otros artistas del surrealismo.

Gaudí, que en sus últimos años se centró en la construcción de la Sagrada Familia, murió en Barcelona el 10 de junio de 1926, atropellado por un tranvía frente a su inacabada obra maestra.

Gaudí nació el 25 de junio de 1852 en Reus (Tarragona). A los 15 años publicó algunos dibujos en una revista escolar. En 1973 empezó los estudios de Arquitectura en la Escuela Superior de Arquitectura de Barcelona, y se graduó en 1878. Su primer encargo como arquitecto fue la casa Vicens (1883-1888), un edificio neogótico en el que ya se ve su fuerte personalidad. Poco después comenzó a trabajar para el empresario textil Eusebio Güell: primero hizo las caballerizas de su finca en Pedralbes, y más tarde el palacio Güell (1885-1889) en Barcelona, un edificio lleno de espacios y formas innovadoras. Durante esta primera etapa también construyó algunas obras fuera de Cataluña, entre las que cabe reseñar el palacio episcopal de Astorga (comenzado en 1887) y la casa de los Botines (1891-1892) en León.

En 1883 aceptó continuar las obras del templo de la Sagrada Familia en Barcelona, una catedral neogótica que el joven Gaudí modificó totalmente: lo convirtió en una especie de bosque de elevadas torres.

Estudiante A

- Lugar y fecha de nacimiento: _____
- Estudios (comienzo, fin, lugar): _____
- ¿Quién era Eusebio Güell?: _____
- Primeros trabajos como arquitecto, dentro y fuera de Barcelona: _____
- ¿Qué pasó en 1883?: _____

Estudiante B

- ¿Cuál era el proyecto del Parque Güell?: _____
- Obras como diseñador: _____
- Influyó en: _____
- Lugar y fecha de su muerte: _____

2 ¿Te gustan las obras de este artista? ¿Era un genio o estaba loco? Discútelo con tus compañeros.

Si quieres saber más sobre Gaudí, visita: http://www.gaudi2002.bcn.es/castellano/

3 Busca información sobre tu artista favorito, puede ser un pintor, un escultor, un arquitecto..., y escribe su biografía.

AUTOEVALUACIÓN

1 El autor de ese retrato .... Van Gogh.
a. ☐ está
b. ☑ es
c. ☐ ser

2 *Machu Picchu* .... en Perú.
a. ☑ está
b. ☐ están
c. ☐ es

3 ¿A ti .... que pinta bien?
a. ☐ crees
b. ☑ te parece
c. ☐ me parece

4 ¿La catedral .... en el centro de la ciudad?
a. ☐ es
b. ☐ sea
c. ☑ está

5 Pienso que no .... estudiando Bellas Artes, sino Arquitectura.
a. ☑ está
b. ☐ esté
c. ☐ es

6 .... opinión, es el mejor escultor.
a. ☐ Para mí
b. ☑ En mí
c. ☐ Por mí

7 ¿De dónde ....?
a. ☐ seas
b. ☐ estás
c. ☑ eres

8 ¿Crees que Rivera .... bien?
a. ☐ pinte
b. ☑ pinta
c. ☐ pintes

9 No, no pienso que .... bien.
a. ☑ pinte
b. ☐ pinta
c. ☐ pinturas

10 La catedral de León es de estilo ....
a. ☐ románico.
b. ☑ gótico.
c. ☐ modernista.

11 .... un nuevo edificio.
a. ☑ Están diseñando
b. ☐ Son diseñados
c. ☐ Diseñando

12 ¿Crees que .... diseñador muy famoso? Yo no lo conozco de nada.
a. ☑ es un
b. ☐ es
c. ☐ está

13 .... que termine a tiempo la obra.
a. ☐ Creo
b. ☐ Para mí,
c. ☑ No creo

14 Pues yo ....
a. ☑ creo que sí.
b. ☐ no creo que no.
c. ☐ me parece sí.

15 Yo quiero .... profesor de Arte.
a. ☐ soy
b. ☑ ser
c. ☐ estar

16 ¿Por qué .... tan complicado dibujar un buen retrato?
a. ☐ es
b. ☑ está
c. ☐ estás

17 El Templo de Debod .... en Madrid, aunque ... egipcio.
a. ☐ es / está
b. ☑ está / es
c. ☐ esté / sea

18 ¿No te parece que .... una obra de arte?
a. ☑ es
b. ☐ sea
c. ☐ está

19 No creemos que .... un buen arquitecto.
a. ☑ sea
b. ☐ esté
c. ☐ es

20 Esta iglesia .... totalmente ....
a. ☐ está / reformando.
b. ☑ está / reformada.
c. ☐ esté / reformado.

26 ¿A qué dedica el tiempo libre?

Funciones

▷ Expresar gustos

▷ Formular deseos

▷ Hacer hipótesis y expresar condiciones

Gramática

▷ Verbo *gustar* en presente, pretérito indefinido y condicional

▷ Repaso del presente de subjuntivo

▷ Imperfecto de subjuntivo

Léxico

▷ Ocio y tiempo libre

▷ Aficiones e intereses

▷ Deportes

Cultura

▷ Cine

¿Empezamos?

En la cola del cine...

Marisa: Perdona, ¿tienes hora?

Raquel: Sí, son las seis y diez.

Marisa: ¡Qué tarde! ¡Siempre igual! A mí me gusta mucho venir al cine, pero siempre que quedo con mi novio llega tarde... ¡Ahí viene!

Javi: ¡Perdona, perdona...! ¡Es que el metro ha tardado siglos! Si tuviera coche, llegaría antes a los sitios... Estoy seguro.

Marisa: Vale, vale, me lo imaginaba... Sabes que me molesta que llegues tarde, no me gusta nada tener que esperar... Venga, ¿cuál vemos?

Javi: Pues, no sé. La de Santiago Segura tiene que estar bien, ¿no? Me gustan todas sus *pelis*...

Marisa: ¿La de *Borjamari y Pocholo*? Pues, a mí no me gusta mucho ese humor negro, a veces no me hace ninguna gracia...

Javi: Venga, vale. ¿Vemos *Di que sí*?

Marisa: ¿*Di que sí*? ¿De qué va? Yo no he oído nada...

Javi: Yo tampoco, pero los actores son buenos...

Marisa: ¡¡Claro, sobre todo Paz Vega!!... A mí me gustaría ver *Mar adentro*, todo el mundo dice que está genial, pero...

Javi: ... No es el momento

Taquillero: ¡Hola! ¡Buenas tardes!

Marisa: Dos para..., no sé..., ¿para el documental sobre el Che Guevara?

Javi: Venga, vale... Dos entradas para *Diarios de motocicleta*, para la sesión de las seis y media.

CARTELERA

EL ASOMBROSO MUNDO DE BORJAMARI Y POCHOLO. España. 2004. comedia Director: Enrique López Lavigne, Juan Cavestany. Intérpretes: Santiago Segura, Javier Gutiérrez, Guillermo Toledo, Pilar Castro. Borjamari y Pocholo son víctimas de una broma preparada por su primo, que quiere vengarse de ellos. Han pasado 20 años desde que Borjamari y Pocholo fueran los reyes de las discotecas y gastaran bromas pesadas a sus amigos.

DI QUE SÍ. España. 2004. comedia. Director: Juan Calvo. Intérpretes: Paz Vega, Santi Millán, Pepe Viyuela, Constantino Romero, Chus Lampreave. Víctor Martínez es un tímido acomodador de cine que vive sus fantasías románticas a través de la gran pantalla.

DIARIOS DE MOTOCICLETA. EE UU/Alemania/Reino Unido/Argentina. 2004. drama Director: Walter Salles. Intérpretes: Gael García Bernal, Rodrigo de la Serna, Mía Maestro, Mercedes Morán. Adaptación de un diario escrito por Ernesto Che Guevara, cuando con 23 años decide recorrer con un amigo Argentina, Chile, Brasil y Perú para establecer su residencia médica en una colonia de leprosos.

MAR ADENTRO. España. 2004. drama Director: Alejandro Amenábar. Intérpretes: Javier Bardem, Belén Rueda. Narra el sufrimiento que padeció Ramón Sampedro, un tetrapléjico que permaneció en la cama 30 años pidiendo morir y que finalmente lo logró.

MARÍA LLENA ERES DE GRACIA. Colombia/EE UU. 2004. +18 Director: Johsua Marston. Intérpretes: Catalina Sandino Moreno, Yen Paolo Vega. María es una joven de 17 años que deja su vida pacífica en el campo y consigue un nuevo trabajo en la ciudad, consistente en introducir paquetes de heroína en Estados Unidos.

¿Está claro?

1 **Lee el diálogo de _¿Empezamos?_ y las reseñas de las películas. Contesta a las preguntas.**

1. ¿Qué películas quiere ver Javi? ¿Por qué?
2. ¿Y Marisa?
3. ¿Qué película ven al final?

2 **¿Qué película crees que le gustaría a cada persona?**

1. Diego. 25 años. Activista político.
2. Laura. 60 años. Abogada.
3. Ernesto. 30 años. Cantante en un grupo pop.
4. María. 15 años. Estudiante.

3 **Une con flechas.**

A Marisa

	le gustan	esperar.
no	le molesta	los dramas.
	le gusta	ver _Mar adentro_.
		las comedias.

A Javi

| le gustaría | que llegue tarde. |
| | el humor negro. |

4 **¿Qué pasaría si...? Completa estas oraciones.**

Ejemplo: _Si tuviera coche, llegaría antes a los sitios._

1. Si tuviera tiempo el sábado, _____
2. Si midiera dos metros, _____
3. Si fuera deportista, _____

Las cosas claras

1 **¿Sabes cómo se dice en español...? Completa con las palabras que conozcas relacionadas con cada deporte.**

balón
portería
tarjeta

_____ _____ _____ _____ _____ _____

jugar al fútbol
ganar un partido
estadio de fútbol

_____ _____ _____ _____ _____ _____

2 De dos en dos. Con ayuda de las ilustraciones, habla con tu compañero sobre vuestros deportes favoritos y sobre lo que no os gusta del deporte.

Podéis usar estas estructuras:

▶ *¿Te gusta **el fútbol**?*
▶ *¿Te gusta **jugar al fútbol** o **verlo** en la televisión?*
● *Me gusta **que gane** mi equipo.*

Podemos expresar nuestros gustos de varias formas:

Me gusta	**el cine** *(sustantivo)*
Me molesta	**ir** *al cine (infinitivo)*
No me gusta	**que** *mi novio me* **invite** *al cine (presente de subjuntivo)*

3 De dos en dos. Piensa en la última vez que...

1. fuiste al cine.
2. montaste en avión.
3. fuiste a un concierto.
4. quedaste con un amigo.
5. jugaste al fútbol.
6. fuiste a un museo.
7. viste una película en la televisión.
8. fuiste de compras.
9. visitaste una ciudad.
10. te encontraste con un/a ex-novio/a.

¿Qué te gustó?, ¿qué no te gustó?, ¿qué te molestó más? Pregúntale a tu compañero.

Para expresar nuestros gustos sobre algo concreto que ocurrió en el pasado decimos:

Me gustó	**la película** (sustantivo)
Me molestó	**ir** al cine (infinitivo)
No me gustó	**que** la gente **comiera** palomitas en el cine (imperfecto de subjuntivo)[1]

El imperfecto de subjuntivo tiene dos formas equivalentes.

Formación del imperfecto de subjuntivo:

¿Recuerdas cómo era la 3.ª persona de plural del pretérito indefinido de indicativo?

Solo hay que eliminar la terminación **-on** y añadir **-a**:

Ellos jugaron ➡ -on ➡ *jugar- + -a* ➡ *yo jugara*

Ellos estuvieron ➡ -on ➡ *estuvier- + -a* ➡ *yo estuviera*

La segunda se construye añadiendo -ase, -ases, -ase, -asemos, -aseis, -asen (verbos en -ar):

- *Jugar: jugase, jugases, jugase, jugásemos, jugaseis, jugasen.*

- Verbos en *-er* e *-ir*: *-iese, -ieses, -iese, -iesemos, -ieseis, -iesen*:

- *Comer: comiese, comieses, comiese, comiésemos, comieseis, comiesen.*

- *Vivir: viviese, vivieses, viviese, viviésemos, vivieseis, viviesen.*

Esta regla funciona siempre, con los verbos regulares y con los irregulares.

[1] Imperfecto de subjuntivo: verbos regulares

jugar	comer	vivir
jugar**a**	comier**a**	vivier**a**
jugar**as**	comier**as**	vivier**as**
jugar**a**	comier**a**	vivier**a**
jugár**amos**	comiér**amos**	viviér**amo**s
jugar**ais**	comier**ais**	vivier**ais**
jugar**an**	comier**an**	vivier**an**

[1] Imperfecto de subjuntivo: verbos irregulares

estar	ser	venir	haber
estuvier**a**	fuer**a**	vinier**a**	hubier**a**
estuvier**as**	fuer**as**	vinier**as**	hubier**as**
estuvier**a**	fuer**a**	vinier**a**	hubier**a**
estuviér**amos**	fuér**amos**	viniér**amos**	hubiér**amos**
estuvier**ais**	fuer**ais**	vinier**ais**	hubier**ais**
estuvier**an**	fuer**an**	vinier**an**	hubier**an**

Cuando formulamos deseos, utilizamos el verbo gustar en la forma condicional *(gustaría)*:

Me gustaría	**ir** al cine mañana (infinitivo)
	que la gente no **comiera** palomitas (imperfecto de subjuntivo)

4 De dos en dos. Ahora, formulad deseos teniendo en cuenta las cosas que os molestaron.

5 En grupo. Pregúntales a tus compañeros qué actividades harían si pudieran, tuvieran tiempo..., y anótalas en la columna correspondiente. También puedes preguntarles *cuándo*, *cómo*, *por qué*, etc.

	SÍ	NO
Ir al gimnasio		
Leer más		
Estudiar una carrera		
Ser actor/actriz		
Practicar algún deporte		
Ir al teatro		
Tocar la guitarra		
Escribir un libro		
Colaborar con una ONG		

En otras palabras

¿Te gusta ver películas en español? ¿Conoces alguna?

1 Lee la sinopsis de la película y contesta a las preguntas.

La directora de *Hola, ¿estás sola?* y *Flores de otro mundo* ha elegido una historia de pareja, de amor y malos tratos para su nueva película.

Una noche de invierno, una mujer, Pilar, sale huyendo de su casa y se refugia en la de su hermana. Lleva consigo apenas cuatro cosas y a su hijo, Juan. Antonio no tarda en ir a buscarla. Pilar es su sol, dice, y además, "le ha dado sus ojos"... A lo largo de la película, los personajes irán reescribiendo ese libro de familia en el que está escrito quién es quién y qué se espera que haga, pero en el que todos los conceptos están equivocados y donde dice *hogar* se lee *infierno*, donde dice *amor* hay *dolor* y quien promete *protección* produce *terror*.

1. ¿A qué género crees que pertenece esta película: acción, comedia, drama, terror...? ¿Por qué?

2. ¿Qué crees que significa que "le ha dado sus ojos"?

Te doy mis ojos, dirigida por Icíar Bollaín, en 2003, e interpretada por Laia Marull (Pilar), Luis Tosar (Antonio), Candela Peña (Ana) y Rosa María Sardà (Aurora), entre otros, no ha dejado de ganar premios desde que se estrenó en octubre de 2003.

2 Ahora escucha esta entrevista a la directora de la película y contesta.

1. ¿Cómo suele contar la prensa historias similares a la de *Te doy mis ojos*?

2. ¿Cuál es el objetivo de las guionistas de esta película?

3. El cortometraje *Amores que matan*, ¿está basado en una historia real?

4. ¿Por qué no es políticamente correcto el planteamiento de *Amores que matan*?

5. ¿En qué consistió la labor de documentación?

6. ¿Dónde transcurre la acción?

7. ¿Cómo refleja la ciudad la relación entre hombre y mujer?

3 En grupo. Los personajes que rodean a la pareja protagonista son la hermana, la madre y las amigas de ella, el hermano de él, el psicólogo al que él acude y el grupo de terapia. ¿Qué harías tú si fueras alguno de estos personajes?

Ejemplo: *Yo, si fuera su hermana, hablaría con Pilar.*

4 En grupo. ¿Cómo creéis que termina la historia? Buscad varios finales posibles.

AUTOEVALUACIÓN

1 A M.ª José le gustan ....
- **a.** ☐ que vamos al cine.
- **b.** ☐ las películas de acción.
- **c.** ☐ el tenis.

2 .... los deportes de riesgo.
- **a.** ☐ No me gustan
- **b.** ☐ A mí no les gustan
- **c.** ☐ No me molestan

3 No nos gusta que .... tarde.
- **a.** ☐ llegareis
- **b.** ☐ llegáis
- **c.** ☐ lleguéis

4 Ellos *fueran* es la 3.ª persona del plural del imperfecto de subjuntivo ....
- **a.** ☐ del verbo *ir*.
- **b.** ☐ de los verbos *ir* y *ser*.
- **c.** ☐ del verbo *ser*.

5 La raqueta y la pelota son imprescindibles para ....
- **a.** ☐ jugar al tenis.
- **b.** ☐ jugar al baloncesto.
- **c.** ☐ practicar natación.

6 A mis primos les encanta ....
- **a.** ☐ los ordenadores.
- **b.** ☐ la fotografía digital.
- **c.** ☐ hacen fotos.

7 ¿Te molesta .... tu raqueta?
- **a.** ☐ que use
- **b.** ☐ que usar
- **c.** ☐ que usa

8 No les gustó nada .... a su casa.
- **a.** ☐ que vayamos
- **b.** ☐ ir
- **c.** ☐ que fuéramos

9 .... que ganara mi equipo favorito.
- **a.** ☐ No me molesta
- **b.** ☐ Me gustaría
- **c.** ☐ Me gusta

10 ¿Iríais al concierto .... la entrada?
- **a.** ☐ si nos regalen
- **b.** ☐ si os regalan
- **c.** ☐ si os regalaran

11 Le molestó .... su guitarra sin pedirle permiso.
- **a.** ☐ que use
- **b.** ☐ que usara
- **c.** ☐ usar

12 Un equipo de fútbol está compuesto por ....
- **a.** ☐ doce jugadores y un portero.
- **b.** ☐ diez jugadores y un portero.
- **c.** ☐ dos jugadores y una portería.

13 ¿Os gustaría .... esta obra de teatro?
- **a.** ☐ ver
- **b.** ☐ ir
- **c.** ☐ que veáis

14 La primera persona del imperfecto de subjuntivo del verbo *poder* es:
- **a.** ☐ yo podara.
- **b.** ☐ yo pudera.
- **c.** ☐ yo pudiera.

15 Me molesta ...., ¿puedes bajarla un poco?
- **a.** ☐ la música
- **b.** ☐ que la música
- **c.** ☐ las músicas

16 Si el resultado de un partido es 5-5, decimos que ha habido ....
- **a.** ☐ empatar.
- **b.** ☐ empate.
- **c.** ☐ igual.

17 Los esquiadores bajan por ....
- **a.** ☐ carreteras.
- **b.** ☐ pistas.
- **c.** ☐ caminos o senderos.

18 En fútbol, solo .... puede coger el balón con la mano.
- **a.** ☐ el jugador
- **b.** ☐ el portero
- **c.** ☐ el delantero

19 Si ...., ... a la piscina todos los días, pero solo tengo tiempo los sábados.
- **a.** ☐ pudiera / iría
- **b.** ☐ fuera / podría
- **c.** ☐ podo / voy

20 Me gustó mucho ....
- **a.** ☐ que vinieras.
- **b.** ☐ que vengas.
- **c.** ☐ que vienes.

UNIDAD 27

Deje su mensaje después de la señal

A **B** **C** **D** **E**

¿Empezamos?

1 [21] Mira las ilustraciones y escucha. Relaciónalas con los diálogos.

1

–¡Hola! ¡Buenos días! ¿Eres Daniel?
–Sí, soy yo.
–¡Hola! Soy Bea. ¿Está Sebastián por ahí?
–No, no ha llegado todavía.
–Vaya... Es que **tenemos** una reunión a las 9.30 en la oficina, pero **estoy** en el médico y **llegaré** sobre las 10. ¿Puedes decírselo de mi parte?
–Sí, voy a intentarlo en el móvil. Hasta luego...

2

–Sebastián, llamó Beatriz a las 9. **Dijo que teníais** una reunión a las 9.30, pero que **llegaría** sobre las 10, el caso es que ya son las 10.30... **Dijo que estaba** en el médico...
–Vale, gracias. No te preocupes...

3

A la hora del café...
–Mario, ¿vienes esta noche a cenar a casa?
–Vale, no tengo planes...
–Tenemos setas... Tú que eres tan buen cocinero, ¿sabes alguna receta fácil? **Me ha preguntado** Óscar **si yo sabía** alguna, pero no tengo ni idea..., soy un desastre en la cocina...
–A ver, déjame pensar... ¡Ah, sí! Hice el otro día una que vi en el periódico..., vamos a ver si me acuerdo. Necesitas un vaso de...
–Espera, espera, que lo voy a apuntar...
–Yo puedo hacerla, si quieres..., voy un poco antes y ya está. Tú, compra vino de Oporto, queso de Cabrales y... nata líquida. Supongo que ajo, sal y pimienta tienes, ¿no?
–Sí, sí... Vale, genial. Llamo ahora mismo a Óscar y se lo digo...

4

–Óscar, soy Beatriz, ya tengo la receta de las setas. Al final, Mario viene a cenar... y la hace él. **Me ha pedido que compres** vino de Oporto, nata líquida y queso de Cabrales. El resto, lo tenemos. ¡Hasta luego!

5

–¿Está Mario?
–No, ha salido un momento.
–¿Han aprobado el presupuesto?
–Pues, no lo sé. Podemos buscar en esta carpeta... Mira, aquí están los impresos..., pero no, no están rellenos..., **llévatelos** si quieres y **ven** dentro de media hora, que ya habrá vuelto Mario.

Funciones

▷ Transmitir las palabras dichas por otras personas

Gramática

▷ Correlación de tiempos verbales en el estilo indirecto

Léxico

▷ Conversaciones telefónicas
▷ Recetas de cocina

Cultura

▷ Recetas de cocina
▷ Gestos
▷ Los nuevos españoles

¿Está claro?

1 Imagina que te transmiten este mensaje:

> Llamó Margarita y dijo que estaba en el banco porque necesitaba solucionar un problema que tenía con el seguro de su coche. Me pidió que la llamaras si era urgente.

¿Cuáles fueron las palabras exactas de Margarita?

_____
_____
_____

2 Julia le cuenta a su jefa su conversación con Diego. Completa la información que falta.

Ellas están en otra oficina, así que el verbo **traer** se convierte en **llevar** y **venir** en **ir**.

«Mario no estaba. Hemos encontrado los impresos, pero no están rellenos. Diego me ha dicho que me los _____ y que _____ dentro de media hora.»

3 Fíjate en este cómic. ¿Qué le pide él a ella?, ¿y ella a él?

Él le pide a ella que _____
y ella le dice que solo si le _____

_____. Entonces él, extrañado, le contesta que _____ y ella le dice que _____ y además le pide que le _____.

(DNI: Documento Nacional de Identidad)

Las cosas claras

1 Al final, Mario no puede ir a cenar a casa de Beatriz y le explica la receta para que la haga ella:

> Primero, **saltea** las setas con el ajo. Aparte, **mezcla** el queso y el vino. Cuando las setas estén blandas, **añade** la mezcla del Cabrales y el Oporto. **Sube** el fuego y **remueve** todo durante 5 minutos. Finalmente, echa la nata, y espera otros 5 o 6 minutos. Ya está, es muy fácil. Tienes sal y pimienta ¿no? Pues, no olvides echarle un poco.

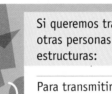

> Mario me ha dicho que, primero, _____ las setas con el ajo y que, aparte, _____ el queso y el vino. Y que cuando las setas estén blandas, _____ la mezcla. Luego me ha dicho que _____
> _____

Si queremos transmitir las palabras que otras personas han dicho utilizamos estas estructuras:

Para transmitir afirmaciones, negaciones o preguntas:

Decir Contar Explicar	+ _que_ + INDICATIVO
Preguntar	+ _(que)_ si + _(que)_ qué/quién/cuándo/ cómo/dónde... + INDICATIVO

Para transmitir órdenes o peticiones:

Querer Pedir Decir	+ _que_ + SUBJUNTIVO

Cuando transmitimos las palabras que ha dicho otra persona, cambian:

- Los **pronombres** y las personas de los verbos.
- **Aquí** y **acá** se convierten en **allí** y **allá**.
- **Este** se convierte en **ese** o **aquel**.
- **Traer** y **venir** se convierten en **llevar** e **ir**, o viceversa, respectivamente.
- **Los tiempos verbales**, cuando la situación temporal ha cambiado o el mensaje ha perdido su vigencia.

Correspondencia y cambios de tiempos verbales		
	El tiempo no ha cambiado o el mensaje sigue vigente: **Dice / Ha dicho...**	El tiempo ha cambiado o el mensaje ya no tiene vigencia: **Ha dicho / Dijo...**
"**Quiero** hablar con ella" **PRESENTE**	... que **quiere** hablar contigo. **PRESENTE**	... que **quería** hablar contigo. **IMPERFECTO**
"**Iré** el jueves" **FUTURO**	... que **vendrá** el jueves. **FUTURO**	... que **vendría** el jueves. **CONDICIONAL**
"**Llámame**" **IMPERATIVO**	... que la **llames**. **PRESENTE** SUBJUNTIVO	... que la **llamaras**. **IMPERFECTO SUBJUNTIVO**

2 De dos en dos. Lee el texto, piensa en la situación y en algunos detalles que podrías incluir. Realiza tu llamada telefónica y toma nota del recado para luego transmitirlo.

ESTUDIANTE A	ESTUDIANTE B
Mañana necesitas el coche, pero lo tiene tu hermano Javier y quieres que te lo traiga. Llámale.	Eres la mujer de Javier. Él no está en casa. Suena el teléfono... Cuando llega Javier a casa, le dices: _____ _____ _____ _____

ESTUDIANTE B	ESTUDIANTE A
Tienes una reunión con Javier mañana a las 10 y no puedes ir. Sí que podrías un poco más tarde, a las 11. Pregúntale si es posible cambiar la hora. Llámale.	Eres la secretaria de Javier. Él no está en la oficina. Suena el teléfono... Cuando al día siguiente llega Javier, le dices: _____ _____ _____

3 De dos en dos. Mirad las ilustraciones. ¿Qué creéis que han querido decir...?

En la situación n.º 1, creemos que el chico de la cámara les ha preguntado

_____

En la situación n.º 2, ella _____ y él le ha dicho _____

En la situación n.º 3, _____

En la situación n.º 4, _____

En la situación n.º 5, _____

4 Escucha los mensajes del contestador de Clara. Señala en el calendario cuándo (día y hora) ha recibido cada uno, y el nombre de la persona y de la empresa que ha llamado.

L	M	X	J	V	S	D
	1	<u>2</u> 20.35 : Valeša	<u>3</u>	4	5	6
7	8	9	10	11	12	13
14	15	16	17	18	19	20

Escucha de nuevo los mensajes e indica en el calendario qué cosas debería hacer Clara cada día.

Ahora, imagina que eres su compañero de piso y has escuchado estos mensajes. Clara está de viaje y vuelve el día 12, así que decides escribirle un correo electrónico contándole las llamadas que ha recibido.

Para: clara_cifuentes@yahoo.es
Asunto: mensajes

¡Hola, Clara! Espero que te lo estés pasando bien. Yo he tenido mucho trabajo esta semana y hoy, sábado, he quedado para ir al cine con Celia. Ya te contaré.
Te escribo porque esta semana te han dejado varios mensajes en el contestador y, aunque sé que estás de vacaciones, creo que te interesarán. Te llamó .... y dijo ....

En otras palabras

1 📖 **Lee rápidamente estas entrevistas y contesta a estas preguntas.**

¿Cuánto tiempo llevan estas personas en España?

¿Dónde trabajan?

LOS NUEVOS ESPAÑOLES

DE NIGERIA A SEVILLA

1 **Steve Aba Martin y Sonia**
   –¿Por qué vinisteis a Sevilla?
   Steve: No hay una razón
   especial. Solo conocíamos
5 Madrid y Barcelona, pero nos
   gusta Sevilla por la gente y el
   clima.
   –¿Cómo fue el viaje?
   Sonia: Lo estuvimos pensando
10 durante mucho tiempo. Cuando
   tomamos la decisión, hace ya
   cinco años, conseguimos el dinero suficiente para
   pagar el viaje y cruzamos el desierto de Marruecos
   hasta llegar a España. En total, la travesía duró algo

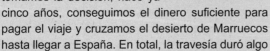

15 más de medio año, toda una
   odisea.
   –¿Cuál es vuestra situación
   laboral?
   Sonia: Steve trabaja como
20 pintor industrial y yo cuido de
   José, que tiene un año.
   –¿Cómo veis el futuro de
   vuestro hijo?
   Steve: Nos gustaría que fuera
25 médico.

DE MARRUECOS A SANTIAGO DE COMPOSTELA

1 **Messaoud Elomari, de 33 años, marroquí de
   origen, gallego de adopción**
   –¿Cuándo viniste a Santiago?
   Elomari: Tenía 19 años, acabé el bachillerato
5 y vine aquí. Al principio vendía ropa y bisutería,
   pero lo dejé porque todos los marroquíes hacían
   eso y yo quería algo mejor. Estudié varios cursos
   de relaciones laborales y política social. Y también
   aprendí gallego.
10 –¿Cuál es tu situación laboral?
   Elomari: Me encargo del Centro de Información de
   Trabajadores Extranjeros del sindicato Comisiones
   Obreras.

DE CHINA A VALENCIA

1 **Chen Weijie (Silvia) y Zhon Wei (David) llegaron a España hace 25 y 15 años,
   respectivamente**
   –¿Cómo os conocisteis?
   Silvia: Nuestras familias se conocían y planearon un encuentro en la estación de autobuses
5 de Valencia. Tras medio año de conversaciones por teléfono, nos casamos.
   –¿Dónde trabajáis?
   David: Somos propietarios de dos restaurantes... La aventura empresarial no ha sido nada
   fácil.
   –¿Cambió mucho vuestra vida al llegar a España?
10 **Silvia:** Allí disfrutábamos de la vida mucho más que aquí, donde solo trabajamos y dormimos.
   Trabajamos 15 horas al día para que nuestros hijos no tengan que hacerlo en el futuro.

2 🗣️ **Haced tres grupos. Cada uno elige una de las entrevistas
y la trasforma en un breve artículo, cambiando el estilo directo de
la entrevista a estilo indirecto.**

AUTOEVALUACIÓN

1 Dice que .... quedar esta tarde contigo.
- **a.** ☐ quieres
- **b.** ☐ puede
- **c.** ☐ querrás

2 Dijo que .... en la oficina hasta las tres, pero no contesta nadie.
- **a.** ☐ estaría
- **b.** ☐ sería
- **c.** ☐ estás

3 Acaban de llamar para decirme que ya .... todos para acá.
- **a.** ☐ venía
- **b** ☐ venían
- **c.** ☐ vengan

4 Sus compañeros me .... que lo harán mañana.
- **a.** ☐ dijieron
- **b.** ☐ ha dicho
- **c.** ☐ han dicho

5 ¡Cierra la puerta! He dicho que .... la puerta ahora mismo.
- **a.** ☐ cierres
- **b.** ☐ cerraras
- **c.** ☐ cierras

6 Te dije que .... cuanto antes.
- **a.** ☐ vengas
- **b.** ☐ vinieras
- **c.** ☐ ven

7 Me aseguró que .... a tiempo.
- **a.** ☐ llegué
- **b.** ☐ llegaba
- **c.** ☐ llegaría

8 Le pidió que .... las entradas hoy.
- **a.** ☐ compraría
- **b.** ☐ comprara
- **c.** ☐ compraba

9 Nos ha contado Óscar que esta tarde Antonio .... a su novia.
- **a.** ☐ nos presentará
- **b.** ☐ nos presente
- **c.** ☐ nos presentara

10 Les pidió que le .... una foto.
- **a.** ☐ hayan hecho
- **b.** ☐ hiciera
- **c.** ☐ hicieran

11 Le he pedido a Olga que .... ella a Lola.
- **a.** ☐ llames
- **b.** ☐ llame
- **c.** ☐ llamaba

12 Siempre le dice que .... bien, pero no es verdad.
- **a.** ☐ está
- **b.** ☐ es
- **c.** ☐ esté

13 Me ha prometido que no lo .... a hacer.
- **a.** ☐ vuelve
- **b.** ☐ vuelva
- **c.** ☐ volverá

14 Me .... no dijera nada.
- **a.** ☐ preguntó que
- **b.** ☐ pidió que
- **c.** ☐ preguntó si

15 Le he preguntado .... la conoce y me ha dicho que no.
- **a.** ☐ que
- **b.** ☐ si
- **c.** ☐ si que

16 No me preguntes .... llegó porque no lo sé.
- **a.** ☐ cuándo
- **b.** ☐ cuando
- **c.** ☐ que

17 Tráeme el informe a mi despacho, por favor.
- **a.** ☐ Me pidió que se lo trajera a mi despacho.
- **b.** ☐ Me dijo que se lo llevara a su despacho.
- **c.** ☐ Le preguntó que se lo traiga a mi despacho.

18 Nadie me explicó que tuviera que ...., por eso he llegado tarde.
- **a.** ☐ ir aquí
- **b.** ☐ ir acá
- **c.** ☐ venir aquí

19 "No la conozco de nada". Mario .... dijo que no .... conocía.
- **a.** ☐ la / se
- **b.** ☐ se / la
- **c.** ☐ nos / la

20 Quería .... su trabajo.
- **a.** ☐ si yo hiciera
- **b.** ☐ que yo hiciera
- **c.** ☐ que yo hago

 ## Comprender

Este es el comienzo de la novela *Pantaleón y las visitadoras*, del peruano Mario Vargas Llosa (1936), publicada en 1973: una conversación entre Pantaleón Pantoja, también conocido como Panta o Pantita; su mujer, Pocha o Pochita; y la señora Leonor, su madre.

1 –Despierta, Panta –dice Pochita–. Ya son las ocho. Panta, Pantita.
 –¿Las ocho ya? Caramba, qué sueño tengo –bosteza Pantita–. ¿Me cosiste mi **galón**?
 –Sí, mi teniente –se cuadra Pochita–. Uy, perdón, mi capitán. Hasta que me acostumbre vas a seguir de teniente, amor.
5 Sí, ya, se ve **regio**. Pero levántate de una vez, ¿tu cita no es a?
 –Las nueve, sí –se **jabona** Pantita–. ¿Dónde nos mandarán, Pocha? Pásame la toalla, por favor. ¿Dónde se te ocurre, chola?
 –Aquí, a Lima –contempla el cielo gris, las **azoteas**, los autos, los **transeúntes** Pochita–. Uy, **se me hace agua la boca**: Lima, Lima, Lima.
10 –No sueñes, Lima nunca, qué esperanza –se mira en el espejo, se anuda la corbata Panta–. Si al menos fuera una ciudad como Trujillo o Tacna, me sentiría feliz.
 [...]
 –Como nos mandaran de nuevo a Chiclayo –recoge las **migas** en un plato y retira el mantel la señora Leonor–.
15 Después de todo, allá hemos estado tan bien, ¿no es cierto? Para mí, lo principal es que no nos alejen mucho de la costa. Anda, hijito, buena suerte, llévate mi bendición.
 [...]
 –¿A Iquitos? –deja de **rociar** la camisa y alza la plancha Pochita–. Uy, qué lejos nos mandan, Panta.
 [...]
20 –Y sobre todo qué lejos del mar –suelta la aguja, remacha el hilo y lo corta con los dientes la señora Leonor–
 ¿Habrá muchos **zancudos** allá en la selva? Son mi suplicio, ya sabes.

1 Vocabulario. Completa con las palabras resaltadas en negrita.

1. Humedecer la barba con agua y jabón para afeitarla es_____.

2. Un distintivo de una clase del ejército es _____

3. Una persona que camina por la calle es un viandante o _____.

4. _____ significa echar gotas de algún líquido, por ejemplo, agua.

5. La cubierta de un edificio por la que se puede andar se llama _____.

6. Los restos de pan que quedan en la mesa después de comer se llaman _____.

7. En algunas zonas de América Latina los mosquitos se llaman _____.

8. Relativo al rey o magnífico es sinónimo de _____

9. _____ significa sentir placer con la esperanza de conseguir algo.

2 Elige la respuesta correcta.

1. Pantaleón Pantoja_____despertarse.
 a. ☐ empieza a
 b. ☐ acaba de
 c. ☐ vuelve

2. Pantaleón Pantoja _____.
 a. ☐ sigue siendo teniente.
 b. ☐ acaba de ser nombrado capitán.
 c. ☐ empieza a ser capitán.

3. Pantaleón _____ contento, si lo _____ a Trujillo, por ejemplo
 a. ☐ estaría / enviaran
 b. ☐ sería / enviaran
 c. ☐ estuviera / enviarían

4. A la señora Leonor le _____ en Chiclayo
 a. ☐ gustó dejar de vivir
 b. ☐ gusta volver a vivir
 c. ☐ gustaría volver a vivir

5. Pantaleón Pantoja _____ ir a una reunión muy importante.
 a. ☐ hay que
 b. ☐ tiene que
 c. ☐ suele

3 **Transforma el diálogo en una narración en estilo indirecto.**

Son las ocho de la mañana y Pochita le dice a Pantaleón que _____.
Él le pregunta _____ y ella le contesta
_____ y le pide otra vez _____.
_____.

 Hablar

1 **De dos en dos. Pantaleón y su familia (su madre y su mujer) tienen que
mudarse a una nueva ciudad. Completad con *ser* y *estar* este párrafo sobre
las ciudades de las que hablan los personajes.**

Lima y Chiclayo _____ en la costa; Chiclayo _____ más al norte. El clima de Lima _____
templado, a pesar de su situación geográfica, gracias al efecto de la corriente fría de Humboldt. Trujillo,
a 500 m de altitud sobre el nivel del mar, _____ la capital del departamento de La Libertad y _____
en una región costera desértica, en la costa del Pacífico. Tacna _____ muy cerca de la frontera con
Chile; _____ un importante centro comercial y agrícola. La ciudad de Iquitos _____ en plena
selva amazónica y su clima _____ tropical.

2 **¿Cómo reacciona cada uno de los personajes al conocer la noticia?
¿Qué crees que piensan? ¿Están contentos? ¿Por qué? ¿Qué piensa tu compañero?**

Puedes utilizar estas estructuras para dar tu opinión.

> Creer / parecer / pensar / En mi opinión /
> Para mí / Desde mi punto de vista

Escribir

1 **Imagina que eres Pantaleón Pantoja y que, cuando llegas a Iquitos,
necesitas buscar una casa para vivir. Decides poner un anuncio explicando
el tipo de casa que necesitas.**

Ten en cuenta que:

-tienes dos coches y un perro
-te gusta hacer deporte (nadar y jugar al tenis)
-pronto tendrás un hijo
-Iquitos está en la selva y tiene clima tropical

Comprensión auditiva

Escucha esta entrevista con Esther Muñoz, profesora argentina de la Universidad Nacional Mayor de San Marcos (una de las más antiguas de América, fundada en Lima, en 1551) y especialista en el escritor Mario Vargas Llosa.

1 ¿Verdadero o falso?

	V	F

1. Vargas Llosa es casi tan importante como Cortázar, Fuentes y García Márquez.
2. En 1984 Vargas Llosa ganó el Premio Biblioteca Breve.
3. Vargas Llosa es miembro de la Real Academia Española desde 1995.
4. En las novelas de este escritor solo encontramos recursos tradicionales, desde el punto de vista técnico.
5. En sus obras utiliza, entre otras, estas técnicas narrativas: varias voces o narradores y diálogos breves.
6. *La ciudad y los perros* es su primera y mejor novela.
7. En *La tía Julia y el escribidor* Vargas Llosa cuenta cómo empezó a escribir literatura.
8. A Esther Muñoz no le gustó nada el argumento de Pantaleón y las visitadoras.

2 ¿Qué historias se cuentan en estas novelas? ¿De qué tratan?

1. *La ciudad y los perros*: _____
2. *Pantaleón y las visitadoras*: _____
3. *La tía Julia y el escribidor*: _____

3 De dos en dos. ¿Qué tipo de novelas sueles leer? Pregúntale a tu compañero.

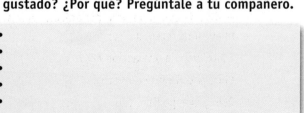

policíaca   romántica   de aventuras   histórica

¿Cuál es el último libro que has leído? ¿Te ha gustado? ¿Por qué? Pregúntale a tu compañero.

Si tuvieras delante a tu escritor favorito, ¿qué harías? ¿Y tu compañero?

	Yo	Mi compañero
Pedirle un autógrafo		
Invitarle a cenar		
Regalarle mi libro favorito		

De las novelas de Vargas Llosa, ¿cuál crees que te gustaría más? ¿Por qué? Pregúntale a tu compañero.

¿QUÉ SÉ HACER?

Señala todas las actividades que ya puedes hacer. Si no recuerdas alguna,
vuelve a la unidad de referencia y repásala.

COMPRENSIÓN ESCRITA

¿Qué sabes hacer...?

☐ Soy capaz de comprender anuncios breves del periódico y buscar información específica (24 y 26).

☐ Entiendo, en líneas generales, textos sobre la biografía de una persona y soy capaz de extraer información específica (25).

☐ Puedo comprender mensajes breves (27).

COMPRENSIÓN AUDITIVA

¿Qué puedes entender...?

☐ Soy capaz de comprender los detalles esenciales de mensajes grabados relacionados con temas que conozco (24).

☐ Comprendo conversaciones sobre temas cotidianos (24).

☐ Soy capaz de entender entrevistas y programas de televisión grabados cuando la articulación es clara y puedo extraer determinada información (25 y 26).

☐ Puedo entender mensajes grabados en contestadores automáticos y tomar nota de algunos detalles (27).

EXPRESIÓN ORAL

¿Qué puedes expresar...?

☐ Soy capaz de describir algo aunque no conozca su nombre (24).

☐ Soy capaz de hacer valoraciones y descripciones, y dar mi opinión sobre temas que me interesan, por ejemplo, la pintura y la arquitectura (25).

☐ Puedo expresar deseos (me gustaría...) (26).

☐ Sé formular hipótesis sobre una información dada (26).

☐ Puedo transmitir las palabras dichas por otra persona (27).

INTERACCIÓN ORAL

¿Qué puedes hacer...?

☐ Puedo intercambiar información sobre el desarrollo de diferentes actividades (24).

☐ Soy capaz de expresar mi opinión y pedir la opinión a otra persona sobre un tema conocido (25).

☐ Puedo intercambiar información sobre aficiones, gustos y deseos (26).

☐ Soy capaz de mantener conversaciones telefónicas sencillas y de dejar mensajes para otra persona (27).

EXPRESIÓN ESCRITA

¿Qué puedes hacer...?

☐ Puedo escribir un anuncio para colocarlo en un tablón, en el que describo lo que busco o necesito (24).

☐ Soy capaz de redactarle un final a un texto dado (26).

☐ Soy capaz de escribir una carta breve o correo electrónico para transmitir una serie de mensajes recibidos (27).

☐ Puedo comprender una entrevista breve y transformarla en un pequeño artículo (27).

A-Z **Soy capaz de utilizar y comprender vocabulario sobre los siguientes temas:**

☐ Medios de comunicación: periódicos, revistas, televisión, Internet (24).

☐ Transcurso de una acción (24).

☐ Pintura y arquitectura (25).

☐ Ocio y tiempo libre (26).

☐ Aficiones e intereses (26).

☐ Deportes (26).

☐ Conversaciones telefónicas (27).

☐ Recetas de cocina (27).

ESQUEMA DE TIEMPOS VERBALES

PRESENTE DE INDICATIVO

VERBOS REGULARES EN -AR / -ER / -IR

trabajar	aprender	vivir
trabajo	aprendo	vivo
trabajas	aprendes	vives
trabaja	aprende	vive
trabajamos	aprendemos	vivimos
trabajáis	aprendéis	vivís
trabajan	aprenden	viven

VERBOS IRREGULARES DE USO FRECUENTE

ser	estar	ir	tener
soy	estoy	voy	tengo
eres	estás	vas	tienes
es	está	va	tiene
somos	estamos	vamos	tenemos
sois	estáis	vais	tenéis
son	están	van	tienen

PRESENTE CONTINUO

estar + gerundio		
estoy		
estás		
está	+	jugando
estamos		viendo
estáis		escribiendo
están		

¿**Vamos** al cine esta noche?

VERBOS IRREGULARES EN LA 1.ª PERSONA DE SINGULAR

coger	conocer	dar	hacer	poner	saber	salir	traer
cojo	conozco	doy	hago	pongo	sé	salgo	traigo

VERBOS IRREGULARES CON CAMBIO VOCÁLICO

querer e>ie	poder o>ue	pedir e>i
quiero	puedo	pido
quieres	puedes	pides
quiere	puede	pide
queremos	podemos	pedimos
queréis	podéis	pedís
quieren	pueden	piden

VERBOS CON MÁS DE UNA IRREGULARIDAD

ser	estar	ir	tener
soy	estoy	voy	tengo
eres	estás	vas	tienes
es	está	va	tiene
somos	estamos	vamos	tenemos
sois	estáis	vais	tenéis
son	están	van	tienen

PRETÉRITO INDEFINIDO

VERBOS REGULARES EN -AR / -ER / -IR

trabajar	perder	vivir
trabaj**é**	perd**í**	viv**í**
trabaj**aste**	perd**iste**	viv**iste**
trabaj**ó**	perd**ió**	viv**ió**
trabaj**amos**	perd**imos**	viv**imos**
trabaj**asteis**	perd**isteis**	viv**isteis**
trabaj**aron**	perd**ieron**	viv**ieron**

VERBOS IRREGULARES DE USO FRECUENTE

estar	hacer	ir/ser	poder	tener	decir	venir	leer	dar	poner	querer
estuve	hice	fui	pude	tuve	dije	vine	leí	di	puse	quise
estuviste	hiciste	fuiste	pudiste	tuviste	dijiste	viniste	leíste	diste	pusiste	quisiste
estuvo	hizo	fue	pudo	tuvo	dijo	vino	leyó	dio	puso	quiso
estuvimos	hicimos	fuimos	pudimos	tuvimos	dijimos	vinimos	leímos	dimos	pusimos	quisimos
estuvisteis	hicisteis	fuisteis	pudisteis	tuvisteis	dijisteis	vinisteis	leísteis	disteis	pusisteis	quisisteis
estuvieron	hicieron	fueron	pudieron	tuvieron	dijeron	vinieron	leyeron	dieron	pusieron	quisieron

PRETÉRITO IMPERFECTO DE INDICATIVO

VERBOS REGULARES EN -AR / -ER / -IR

estudiar	tener	vivir
estudi**aba**	ten**ía**	viv**ía**
estudi**abas**	ten**ías**	viv**ías**
estudi**aba**	ten**ía**	viv**ía**
estudi**ábamos**	ten**íamos**	viv**íamos**
estudi**abais**	ten**íais**	viv**íais**
estudi**aban**	ten**ían**	viv**ían**

VERBOS IRREGULARES

ser	ver	ir
era	veía	iba
eras	veías	ibas
era	veía	iba
éramos	veíamos	íbamos
erais	veíais	ibais
eran	veían	iban

PRETÉRITO PERFECTO DE INDICATIVO

presente de *haber* + participio pasado		
he has ha hemos habéis han	+	bajado establecido vivido

PRETÉRITO PLUSCUAMPERFECTO

imperfecto de *haber* + participio pasado		
había habías había habíamos habíais habían	+	cuidado tenido vivido

FUTURO IMPERFECTO DE INDICATIVO

Verbos regulares

-ar / -er / -ir	
trabajar	-é
	-ás
ver	-á
	-emos
escribir	-éis
	-án

Futuro inmediato

Presente de *ir* + infinitivo		
voy		
vas		
va		empez**ar**
vamos	+ a +	aprend**er**
vais		repet**ir**
van		

Verbos irregulares

decir	haber	hacer	poner	poder	querer	saber	salir	tener	venir
dir-é	habr-é	har-é	pondr-é	podr-é	querr-é	sabr-é	saldr-é	tendr-é	vendr-é

CONDICIONAL SIMPLE

Verbos regulares

-ar / -er / -ir	
llamar	-ía
	-ías
ver	-ía
	-íamos
subir	-íais
	-ían

Verbos irregulares

caber	decir	haber	hacer
cabr-ía	dir-ía	habr-ía	har-ía
poner	poder	querer	saber
pondr-ía	podr-ía	querr-ía	sabr-ía
salir	tener	valer	venir
saldr-ía	tendr-ía	valdr-ía	vendr-ía

MODO SUBJUNTIVO

PRESENTE DE SUBJUNTIVO

Verbos regulares en -ar / -er / -ir

contaminar	vender	consumir
contamine	venda	consuma
contamines	vendas	consumas
contamine	venda	consuma
contaminemos	vendamos	consumamos
contaminéis	vendáis	consumáis
contaminen	vendan	consuman

¿Qué vas a hacer cuando tengas 60 o 70 años?

¿Yo? Una operación de cirugía estética para quitarme las arrugas, por supuesto. ¿Y tú?

Verbos irregulares

hacer	tener	salir	poner	decir	venir	oír	conocer	producir
haga	tenga	salga	ponga	diga	venga	oiga	conozca	produzca
hagas	tengas	salgas	pongas	digas	vengas	oigas	conozcas	produzcas
haga	tenga	salga	ponga	diga	venga	oiga	conozca	produzca
hagamos	tengamos	salgamos	pongamos	digamos	vengamos	oigamos	conozcamos	produzcamos
hagáis	tengáis	salgáis	pongáis	digáis	vengáis	oigáis	conozcáis	produzcáis
hagan	tengan	salgan	pongan	digan	vengan	oigan	conozcan	produzcan

IMPERFECTO DE SUBJUNTIVO

VERBOS REGULARES EN -AR / -ER / -IR

jugar	comer	vivir
jugar**a**	comier**a**	vivier**a**
jugar**as**	comier**as**	vivier**as**
jugar**a**	comier**a**	vivier**a**
jugár**amos**	comiér**amos**	viviér**amos**
jugar**ais**	comier**ais**	vivier**ais**
jugar**an**	comier**an**	vivier**an**

PRETÉRITO PERFECTO DE SUBJUNTIVO

Presente de subjuntivo de *haber* + participio pasado		
haya		
hayas		
haya	+	separado
hayamos		comido
hayáis		venido
hayan		

MODO IMPERATIVO

IMPERATIVO AFIRMATIVO

VERBOS REGULARES EN -AR / -ER / -IR

	hablar	leer	escribir
tú	habl-**a**	le-**e**	escrib-**e**
vosotros/as	habl-a**d**	le-e**d**	escribi-**d**
usted	habl-**e**	le-**a**	escrib-**a**
ustedes	habl-**en**	le-**an**	escrib-**an**

IMPERATIVO NEGATIVO

VERBOS REGULARES EN -AR / -ER / -IR

	hablar	leer	escribir
tú	NO habl-**es**	NO le-**as**	NO escrib-**as**
vosotros/as	NO habl-**éis**	NO le-**áis**	NO escrib-**áis**
usted	NO habl-**e**	NO le-**a**	NO escrib-**a**
ustedes	NO habl-**en**	NO le-**an**	NO escrib-**an**

VERBOS IRREGULARES DE USO FRECUENTE

hacer	tener	poner	ir	decir	salir	venir	ser	oír
haz	ten	pon	ve	di	sal	ven	sé	oye
haced	tened	poned	id	decid	salid	venid	sed	oíd
haga	tenga	ponga	vaya	diga	salga	venga	sea	oiga
hagan	tengan	pongan	vayan	digan	salgan	vengan	sean	oigan

FORMAS VERBALES NO PERSONALES

	infinitivo	gerundio	participio
-ar	termin**ar**	termin**ando**	termin**ado**
-er	beb**er**	beb**iendo**	ten**ido**
-ir	viv**ir**	viv**iendo**	viv**ido**

Yo no leo nunca el periódico.

Yo no lo necesito, no tengo que leerlo para nada...

¿No? Pues deberías. Yo suelo leerlo todos los días. Por lo menos hay que leerlo una vez a la semana...

¿Pero es que no te gusta estar informado?

Bueno, sí...

UNIDAD 0

EL ABECEDARIO ESPAÑOL

1. Escucha el abecedario y las palabras.

A de avión
Be de barco
Ce de casa
Che de chaqueta
De de dedo
E de España
Efe de foto
Ge de gato
Hache de huevo
I de isla
Jota de jirafa
Ka de koala
Ele de libro
Elle de llave
Eme de mano
Ene de nube
Eñe de niño
O de ojo
Pe de pato
Cu de queso
Erre de ratón
Ese de sol
Te de taza
U de uvas
Uve de vaca
Uve doble de waterpolo
Equis de taxi
I griega de yogur
Zeta de zorro

2. Escucha cómo se deletrean estas palabras.

ge-a-te-o
i griega-o-ge-u-erre
u-uve-a-ese
te-a-zeta-a
be-a-erre-ce-o
hache-u-e-uve-o
i-ese-ele-a
ne-i-eñe-o

EXPRESIONES PARA LA COMUNICACIÓN EN CLASE

5. Escucha estas expresiones para comunicarte en clase. ¡Son muy útiles!

Más despacio, por favor.
Más alto, por favor.
¿Qué significa *deletrear*?
¿Cómo se dice *to spell* en español?
¿Cómo se deletrea *huevo*?
¿Cómo se escribe, con be o con uve?
No entiendo, ¿puedes repetir, por favor?
¿Cómo? Otra vez, por favor.
No me acuerdo, lo siento.
Sí, creo que es *hache-u-e-uve-o*.

UNIDAD 1

¿EMPEZAMOS?

Necesito un ordenador

Hilde: Hola, buenos días. Necesito un ordenador para mandar un *e-mail*.
Ana: Muy bien. ¿Cómo se llama usted?
Hilde: Hilde Oksavik.
Ana: Perdón, ¿cómo se escribe?
Hilde: Hache-i-ele-de-e o-ka-ese-a-uve-i-ka.

Te presento a Ana

Pablo: Birgit, te presento a Ana, una empleada del cibercafé.
Birgit: Hola, ¿qué tal?
Ana: Encantada. ¿Hablas español, Birgit?
Birgit: Un poquito, no mucho.
Ana: ¿Y de dónde eres?
Birgit: Soy alemana, de Berlín

¿ESTÁ CLARO?

3. Escucha y relaciona con una expresión del tablón de anuncios.

1. • ¿Cómo se dice *e-mail* en español?
   ▪ Correo electrónico.
2. • Perdón, ¿cómo se escribe tu nombre?
   ▪ Jorge. J-O-R-G-E.
3. • A mí me gusta mucho ir de vacaciones a Roma. Me parece una ciudad maravillosa e increíble, romántica...
   ▪ ¿Puedes repetir, por favor?

LAS COSAS CLARAS

1. Escucha los diálogos y completa las oraciones.

1. • ¿Cómo te llamas?
   ▪ Me llamo Miguel Sánchez.
   • ¿De dónde eres?
   ▪ Soy español.
   • ¿Qué haces?
   ▪ Trabajo en un banco.
2. • ¿Cómo se llama?
   ▪ Me llamo Carmen García.
   • ¿De dónde es?
   ▪ Soy argentina.
   • ¿Dónde trabaja?
   ▪ No, no trabajo; estudio inglés.
3. • ¿Cómo se llama?
   ▪ Me llamo Marta Costa.
   • ¿De dónde es?
   ▪ Soy brasileña.
   • Y, ¿qué estudia?
   ▪ Estudio español.

4. ¿De dónde es? ¿Qué idiomas habla? Escucha y completa el diálogo.

1. Hola, amigos, me llamo Jean y soy de París. Hablo francés y un poco de español.
2. Me llamo Rocío, soy española, de Sevilla. Hablo español, inglés y alemán.
3. Hola, ¿qué tal? Me llamo Isabel y soy de Brasil, de Río de Janeiro. Hablo portugués y español.
4. Yo soy Michiko, soy japonesa. Estudio en un colegio internacional y hablo japonés, inglés y español.

UNIDAD 2

¿EMPEZAMOS?

Busco piso para una amiga

Fernando: ¿Dígame?
Beatriz: Hola, buenas tardes, llamo por el anuncio del cibercafé. Tengo una amiga extranjera que busca un piso para compartir en Madrid. Ahora vive en Londres y llega el próximo mes para estudiar español.
Fernando: Sí, sí, claro. Tengo una habitación libre.
Beatriz: ¿Dónde está la casa?
Fernando: En la calle Luisa Fernanda, muy cerca de la calle Princesa y del metro de Ventura Rodríguez.
Beatriz: ¿Y cuál es el precio?
Fernando: 400 euros al mes.

En casa de Fernando

Fernando: Mira, esta es la habitación.
Beatriz: No es muy grande, ¿verdad?
Fernando: No, pero es muy tranquila y tiene mucha luz porque da a la calle.
Beatriz: Sí, es verdad. ¿Vives tú solo en la casa?
Fernando: No, somos tres: una chica ecuatoriana que es enfermera, un chico sevillano que es dependiente en una tienda de ropa y yo. Y tu amiga, ¿qué hace?
Beatriz: Es arquitecta, se llama Alice. Es estadounidense.

LAS COSAS CLARAS

1. Escucha el diálogo entre Alice y el policía y completa la ficha con los datos de ella.

- Buenos días, señorita. Necesito unos datos para rellenar su ficha. A ver, ¿cómo se llama?
- Alice Moore. El apellido es Moore, con dos oes.
- ¿Cómo se escribe, por favor?, ¿puede repetirlo?
- Sí, claro. M, eme de Madrid, O, O, dos oes, R, E.
- ¿Número de pasaporte?
- 346 891 83.
- Sexo: mujer. Bien, veamos. ¿Su fecha de nacimiento?
- El 9 de julio de 1978, uno nueve siete ocho.
- ¿Y el lugar de nacimiento? ¿Dónde nació?
- En Eugene, Oregón. Eugene se deletrea E-U-G-E-N-E.

- Muy bien, muy bien. Nacionalidad, estadounidense, ¿verdad? ¿A qué se dedica? ¿Cuál es su profesión?
- Soy arquitecta, trabajo en un estudio de arquitectura.
- Arquitecta, de acuerdo. ¿Y dónde vive en España?
- Sí..., mi dirección en Madrid es calle Luisa Fernanda, 5, 3.º B, de Barcelona.
- Un teléfono de contacto, por favor.
- El de mi amiga Beatriz es 643 28 30 47 y el de mi futura casa, 91 254 78 35.
- Muy bien, señorita Moore, eso es todo. Muchas gracias.

3. Escucha y completa esta conversación telefónica.

Sra. Blanco: ¿Diga?
Tú: Buenas noches, llamo por el anuncio de la habitación.
Sra. Blanco: Sí, sí.
Tú: ¿Dónde está la casa?
Sra. Blanco: En la Cuesta de San Vicente, muy cerca de la estación del Norte.
Tú: ¿Está cerca del metro?
Sra. Blanco: Claro, al lado de la estación de Príncipe Pío. También hay tren de cercanías y autobuses.
Tú: ¿Cuál es el precio?
Sra. Blanco: 450 euros al mes.
Tú: ¿Viven otros estudiantes en la casa?
Sra. Blanco: Sí, una chica de Marruecos y un coreano.
Tú: Me gustaría ver el piso...

UNIDAD 3

¿EMPEZAMOS?

Mi casa está muy lejos

Paula: Oye, ¿tú vives lejos de la Universidad?
Michelle: ¡Uy! Mi casa está muy lejos. Tardo casi una hora en llegar. Tengo que coger dos autobuses y el metro. ¿Y tú?
Paula: No muy lejos, a unos diez minutos andando.
Michelle: ¡Qué suerte!

¿Hay un cibercafé cerca de aquí?

Paula: Perdona, ¿hay un café con ordenadores cerca de aquí?
Ernesto: Sí, hay uno en la calle Reina Cristina. Tienes que coger la primera calle a la derecha y continúas recto hasta una plaza, donde está la estación de trenes. Cruzas la plaza y la primera calle a la izquierda, después de una farmacia. No es difícil llegar.

En la estación de Goya

Michelle: Por favor, ¿para ir a Metropolitano?
Emilio: Sí, tienes que coger la línea 4, en dirección a Parque de Santa María, hasta Avenida de América. Allí cambias a la línea 6, la Circular, y creo que hay cuatro o cinco estaciones hasta Metropolitano.
Michelle: Vale, gracias

LAS COSAS CLARAS

2. Escucha y ayuda a Michelle a ordenar el salón de su casa.

A ver, a ver, en la mesa que hay al lado del sofá está la lamparita, la lámpara pequeña que enciendo cuando veo la tele.

Bueno, ¿qué más? El equipo de música, sí, el equipo de música está a la derecha del mueble de la tele.

Entre el sofá y el mueble, delante del sofá, está la mesa de centro, en la que suelo comer y dejar mis papeles, las revistas, las gafas... Hay una alfombra debajo de la mesa.

Y, por supuesto, mi sillón favorito, al otro lado del sofá y delante de una ventana, para tener luz suficiente y poder leer.

UNIDAD 4

¿EMPEZAMOS?

El sábado voy a ir a Toledo

Kioko: Oye, el sábado que viene me dan el coche y voy a ir a Toledo. ¿Por qué no vamos los tres?

Mauro: ¿El sábado? Yo no puedo, voy a ir a Segovia con unos compañeros de la Embajada.

Kioko: ¡Qué pena! Y tú, Emma, ¿quieres venir?

Emma: No sé... El sábado por la mañana voy a descansar. No quiero levantarme pronto.

Kioko: Bueno, podemos salir sobre las doce, ¿vale?

¿Qué hora es?

Mauro: Chicas, me voy, son las diez... Adiós.

Tres horas después...

Kioko: Emma, Emma, despierta, ¡vamos!

Emma: ¿Por qué? ¿Qué hora es? Tengo sueño...

Kioko: Muy tarde, es la una menos cuarto, no vamos a llegar nunca.

Emma: No, un poquito más, por favor, Kioko.

El contestador de Rosana

Hola, éste es el contestador automático de Rosana. Ahora no estoy en casa, pero, si quieres, puedes dejar un mensaje después de la señal. Gracias.

Rosana, soy Mauro. Mañana no puedo ir a clase de tenis porque voy a ayudar en la fiesta de la Embajada. Lo siento. Creo que Emma y Kioko sí pueden ir. Hablamos, ¿vale?

Hola Rosana, soy Emma. Mira, son las cinco y tengo entradas para el concierto de esta noche en el auditorio, ¿vamos? Si puedes ir, llámame antes de las siete. Ciao.

LAS COSAS CLARAS

2. Escucha los diálogos y mira las agendas de María, Carlos y Carmen. ¿De quién es cada una? ¿Qué día deciden ir a ver la exposición en el Guggenheim?

Carmen: ¿Por qué no vamos a Bilbao un día de esta semana? Hay una exposición extraordinaria en el Guggenheim, yo puedo a finales de semana, el jueves o el viernes. Y tú, ¿cuándo puedes ir, Carlos?

Carlos: El lunes no puedo, porque tengo inglés a las tres y el martes voy al hospital a las cuatro menos cuarto. Si quieres, el jueves está bien. ¿Tú puedes, María?

María: El jueves..., no, lo siento. Voy a la biblioteca todo el día, el miércoles por la mañana, al banco, y el martes..., el martes voy también al hospital, a eso de las tres.

Carmen: Entonces, los tres podemos el viernes, ¿no?

UNIDAD 5

¿EMPEZAMOS?

¿Qué estás viendo?

Olga: ¡Hola Irene!, ¿qué estás viendo?

Irene: Un partido amistoso entre España y Suecia. Están jugando muy bien...

Olga: ¿Y Richard?

Irene: Está hablando por teléfono con su novia, en su habitación, ¡lleva tres cuartos de hora!

Olga: ¡Oh, Dios mío! Hoy no cenamos antes de las once.

LAS COSAS CLARAS

1. Un detective está siguiendo a Pablo. Escucha y completa lo que está haciendo en cada momento del día. ¿A qué crees que se dedica?

A las nueve menos cinco, Pablo se despierta, su despertador está sonando. Tiene sueño, pero es hora de levantarse. A las diez está cogiendo un autobús, cerca de su casa. A las once menos veinte, está llegando al Museo de Arte Contemporáneo. A las once menos diez, está cambiándose de ropa. Desde las once hasta las siete de la tarde está moviéndose sin parar, andando, recorriendo las salas... ¿Sabes ya a qué se dedica Pablo?

UNIDAD 6

¿ESTÁ CLARO?

2. Escucha y escribe el nombre de cada uno de los miembros de la familia.

¡Hola! Esta es una foto de mi familia, en nuestra casa de Segovia, durante las vacaciones de Semana Santa. Podéis ver a mis padres; a mi hermano y a su mujer; a mis sobrinos, a mi marido y a mis dos hijos.

Mirad, yo soy Raquel. Estoy de pie, a la izquierda, y a mi lado está mi marido, se llama Paco.

Delante de mi marido está mi hermano, que también se llama Paco. A su lado está Blanca María, su mujer.

En el centro de la foto están mis sobrinos, Irene y Raúl, que tienen, respectivamente, dieciocho y veintiún años.

A la derecha de la foto, sentados, están mis padres. Mi madre se llama Lina y mi padre Paco, como mi marido. Sí, es que en España es un nombre muy frecuente. En realidad, se llama Francisco, pero lo llamamos Paco. A la izquierda de mi padre, está Daniel, mi hijo, que tiene 3 años.

Bueno, y ya estamos todos. ¡Ah, no! Mi madre tiene en brazos a Raúl, que solo tiene 6 meses. Ahora sí estamos todos.

LAS COSAS CLARAS

1. Escucha la encuesta que le están haciendo a Rubén, un chico venezolano. ¿Qué le gusta? ¿Y a ti?

- ¡Hola, buenos días! Estamos haciendo una encuesta sobre los gustos de los jóvenes. ¿Tienes un momento?
- Sí, bueno, cinco minutos, tengo un poco de prisa.
- Vale, muy rápido. Primero, ¿qué tipo de coche te gusta?
- Me gustan los carros pequeños, no gastan mucho y puedes estacionar bien. ¡Vivo en la ciudad de Caracas!
- Y la música, ¿qué te gusta más?
- Me encanta Eric Clapton, el guitarrista, y también me gusta mucho la música de El Canto del Loco. También me gustan los cantautores, como Erykah Badú o Jorge Drexler.
- Por último, ¿prefieres el campo o la ciudad para vivir?
- Me gusta pasar los fines de semana en el campo, pero prefiero vivir en la ciudad. Creo que, en el fondo, me gustan los atascos y la gente.
- Gracias por contestar. Es todo.

UNIDAD 7

¿ESTÁ CLARO?

4. Escucha la biografía y comprueba tus respuestas anteriores.

Diana Frances Spencer nació el 1 de julio de 1961 en Sandringham, Norfolk. Sus padres se divorciaron en 1967, cuando Diana tenía sólo seis años de edad. Esta ruptura marcó profundamente su carácter. Estudió en el Reino Unido y, después, completó sus estudios en Suiza. También trabajó como profesora en un jardín de infancia en Londres.

En 1979, con tan sólo 18 años, empezó a salir con el príncipe Carlos y, dos años más tarde, en febrero de 1981 anunciaron oficialmente su compromiso. Diana y Carlos se casaron el 29 de julio de 1981 en Londres, en la Catedral de San Pablo. La boda se transmitió a todo el mundo.

Guillermo, el nuevo heredero a la corona británica, nació en 1982 y Enrique, dos años después. Diana se ocupó de su educación y siempre los protegió de la prensa. En 1992, el Palacio de Buckingham anunció la separación de los Príncipes de Gales. Desde entonces, Diana apoyó activamente distintas obras benéficas. En 1996 trabajó con Cruz Roja en una campaña contra la producción y uso de minas terrestres; en 1997, viajó a Angola y Bosnia.

El 28 de agosto de 1996, Diana y Carlos se divorciaron. Diana, entonces, perdió el tratamiento de "alteza real" a cambio de 18 000 euros, pero siguió siendo Princesa de Gales.

Diana se convirtió, entonces, en una celebridad perseguida por la prensa rosa internacional. Se relacionó con músicos y diseñadores de moda famosos. El 31 de agosto de 1997, Diana murió en un accidente de tráfico en París, en compañía de Dodi Al Fayed, su pareja.

LAS COSAS CLARAS

3. Escucha y comprueba lo que hizo Tony.

Tony es piloto de una compañía aérea italiana. Le encanta su trabajo. Ayer Tony voló a Roma desde Helsinki, Finlandia. Se levantó a las siete, se duchó y se afeitó. A las ocho menos cuarto desayunó y salió de casa. Llegó al aeropuerto y subió al avión. Se sentó a los mandos y observó el cielo limpio y claro desde la cabina. A mediodía llegó a Roma. Por la tarde, descansó un rato y, por la noche, cenó en una pizzería cerca de su casa, con unos amigos. A las once y cuarto, se acostó porque estaba muy, muy cansado.

REPASO 4-7

CUÉNTAME

2. Ahora escucha la historia de Rosana y comprueba si tus hipótesis eran ciertas.

Sí, bueno, nací en la ciudad de Rosario, en mi querida Argentina, en 1955. Mis padres me enseñaron el amor por el arte y la literatura, desde bien chica. Con diez años, en 1965, empecé a estudiar música con un profesor particular, el señor Arconada, no puedo olvidar su nombre. Dos años más tarde, mi padre encontró un trabajo mejor en Buenos Aires y todos nos cambiamos allá.

En 1964, con solo catorce años, gané el Concurso infantil de cuentos de mi escuela, fue una gran satisfacción para mí y para mi familia. En 1975, cuando estudiaba en la Facultad de Filosofía y Letras, en Buenos Aires, conocí al amor de mi vida, a Daniel. Recuerdo que fue un amor a primera vista, nos enamoramos rápidamente y durante siete años vivimos un noviazgo muy feliz. Entonces, en el verano de 1982, el 30 de julio, nos casamos en París, "la ciudad más romántica del mundo", sin duda. Nuestro primer hijo, Daniel, nació en Argentina cinco años después, en 1987. Yo tenía 32 años.

Todavía tardé tres años más en conseguir mi primer gran éxito, que llegó con mi novela *La extraña realidad*. En 1994, nacieron mis gemelas, Paulina y Valeria. Cinco años más tarde, durante la primavera del 99, nos trasladamos a Estados Unidos. Vivimos allá seis años, en Nueva York, pero añorábamos Argentina y volvimos de nuevo en el año 2005. Dos años más tarde, en el año 2007 llegó el reconocimiento internacional, cuando Hollywood llevó al cine mi novela *La extraña realidad*. La vida de mi familia y la mía cambió por completo a partir de ese momento.

UNIDAD 8

¿EMPEZAMOS?

¿Qué hiciste el fin de semana pasado?

- Oye, ¿qué tal el fin de semana pasado?
- Fenomenal, viajamos por una parte de Andalucía. El viernes estuvimos en Granada y el sábado por la noche fuimos a Sevilla.
- ¿Y qué te gustó más?
- A mí me encantó Granada. Creo que La Alhambra es el monumento más espectacular de España. Nos quedamos en los jardines casi dos horas y luego paseamos por el Albaicín, el barrio más famoso.
- ¿Y qué tal el tiempo?
- Tuvimos mucha suerte porque no hizo demasiado calor.

El mejor viaje de mi vida

- ¿Cuál es el mejor viaje de tu vida, Armando?
- ¿El mejor viaje de mi vida? El que hice a Viena en 2005.
- Sí, Viena es una ciudad muy bonita, ¿verdad?
- Sí, pero lo más importante es que allí conocí a Silvia, en el viaje que organizaron a Bratislava. Empezamos a salir y, ¡mira!, nos casamos el verano pasado.

EN OTRAS PALABRAS

Escucha esta canción interpretada por la cantante española Ana Belén y completa los verbos que faltan.

Llegó con su espada de madera
y zapatos de payaso, a comerse la ciudad.
Compró suerte en *Doña Manolita*
y, al pasar por *La Cibeles*, quiso sacarla a bailar un vals,
como dos enamorados, y dormirse acurrucados,
a la sombra de un león.

-"¿Qué tal? Estoy sola y sin marido,
gracias por haber venido a abrigarme el corazón."

Ayer, a la hora de la cena,
descubrieron que faltaba el interno 16,
tal vez, disfrazado de enfermero,
se escapó de *Ciempozuelos*,
con su capirote de papel.

A su estatua preferida, un anillo de pedida
le robó en *El Corte Inglés*,
con él, en el dedo, al día siguiente,
vi a la novia del agente que lo vino a detener.

Cayó como un pájaro del árbol,
cuando sus labios de mármol le obligaron a soltar.
Quedó un taxista que pasaba mudo al ver cómo empezaba
La Cibeles a llorar
y chocó contra el Banco Central (bis).

UNIDAD 9

¿EMPEZAMOS?

Mi maleta no aparece

- Vas muy rápido, Esther, ¿qué pasa?
- Voy al mostrador de "Reclamación de equipajes", mi maleta no aparece, no está en la cinta. Seguro que ya está en Nueva York o en Pekín...
- ¡Qué mala suerte!
- Sí, toda mi ropa está dentro y mi abrigo... y aquí hace mucho frío. Están en invierno, no como en Buenos Aires.
- Bueno, pues vamos a buscar la maleta.

En el mostrador de "Reclamación de equipajes"

- Mire, aquí sólo tenemos estas maletas pequeñas verdes y ese bolso rojo.
- No, no, mi maleta es muy grande, azul y llena de pegatinas.
- Lo siento, tiene que rellenar esta hoja de reclamación.
- Sí, sí, y mientras aparece mi maleta, ¿qué ropa me pongo yo?

LAS COSAS CLARAS

4. Escucha el diálogo y fíjate en el mapa. ¿Dónde están Ana y Héctor?

- ¡Mira qué sol, Héctor! ¡Qué buen tiempo! No hay ni una nube en el cielo. Podemos bajar a la playa y tomar el sol.
- Sí, ¡tenemos mucha suerte con el tiempo! Muy cerca de aquí, en la República Dominicana, hay tormenta y, en cambio, aquí el cielo está muy despejado.
- Bueno, en Centroamérica también está muy soleado, como aquí.

UNIDAD 10

LAS COSAS CLARAS

2. Escucha los tres diálogos y completa.

1. • ¡Qué raro! Son las siete y cuarto y María no ha llegado todavía.
   ■ Siento llegar tarde, chicas, es que el metro se ha parado quince minutos en Ramblas. ¿Ya habéis comprado las entradas?
   * Sí, las tiene Mónica. Anda, vamos a tomar algo.

2. • Tony, ¿y tú has estado alguna vez en Japón?

■ No, no he estado nunca. ¿Y tú?

• Sí, tres veces, por motivos de trabajo. La primera vez fui hace cuatro años y el año pasado estuve dos veces, en primavera y en otoño.

3. • ¡Qué cara de sueño tienes! ¿A qué hora te has levantado esta mañana, Alberto?

■ A las cinco y media. Últimamente he dormido muy poco y estoy cansadísimo. Esta semana, en total, creo que he dormido sólo unas treinta horas.

• Ya veo, ya.

UNIDAD 11

¿EMPEZAMOS?

No tienes buena cara. ¿Qué te pasa?

• Oye, no tienes buena cara. ¿Qué te pasa?

■ No sé, últimamente no me encuentro muy bien. Me duele todo el cuerpo, estoy siempre cansada...

• ¿Y por qué no vas al médico, Susana? Tienes que cuidarte.

■ Es que no tengo tiempo, estoy muy ocupada...

• Sí, pero la salud es lo primero, tienes que ir al médico.

Llamo para pedir cita

• Clínica del Mar, buenos días.

■ Buenos días. Llamo para pedir cita con el doctor Zamorano ¿Puede ser el lunes?

• Sí, el lunes a las cinco. ¿Cómo se llama?

■ Susana Aguirre.

Cuídate, con la salud no se juega

Dos semanas más tarde...

• Bueno, ya tienes mejor aspecto, ¿eh?

■ Sí, seguí tu consejo y fui al médico la semana pasada. Ya estoy mucho mejor.

• ¿Y qué te dijo?

■ Me mandó unos análisis de sangre y me dijo que tengo un poco de anemia y agotamiento. Me recetó unas vitaminas y también hierro.

• Bueno, pues cuídate, recuerda que con la salud no se juega.

LAS COSAS CLARAS

4. Escucha estos diálogos y señala a qué médico especialista ha acudido cada paciente.

1. • Veamos, ¿qué le pasa?

■ Pues verá, últimamente me duele mucho la cabeza, noto la nariz siempre congestionada y me acatarro con facilidad. Cuando salgo a la calle y me da el sol, siento un pinchazo muy fuerte, aquí, entre las cejas, sobre la nariz, ¿puede ser sinusitis?

2. • Cuénteme, ¿qué le pasa?

■ Verá doctor, desde hace un par de meses me canso mucho y parece que el corazón va demasiado rápido. La verdad es que estoy un poco nervioso...

3. • A ver, ¿en qué puedo ayudarla?

■ Es la rodilla. Creo que tengo algo. Siento que me falla, la noto sin fuerzas, a veces corro para coger el autobús y estoy a punto de caerme. No sé...

EN OTRAS PALABRAS

Sustituye los dibujos por las palabras correspondientes y, después, escucha esta canción de Hombres G, un grupo pop español de los años 80.

Ayer fui a visitar a mi médico de cabecera
y la verdad es que no sé por qué...
y es que a veces te da por pensar
que algo te funciona mal,
cuando la verdad es que me encuentro bien.
Me senté un ratito en la sala de espera y
ojeando una revista me enteré de quién se acuesta con la
"jet set",
pero inmediatamente vino la enfermera:
"Puede pasar usted",
"Levántate la camisa,
respira hondo y dime treinta y tres..."
"Tú fumas bastante, dime si me equivoco"
"Pero ¿qué te pasa?, ¿te estás volviendo loco?"
Chico, tienes que cuidarte,
¿cuánto crees que durarás así?,
¿cuánto crees que tu organismo podrá resistir?
Me fui a casa "destrozao",
me metí en la cama
con un Cola-Cao y una aspirina.
Puse la televisión y, nada más ponerla,
el primer anuncio, uno del SIDA.
Mi vecino vino a verme en seguida,
"pero chico..., pero..., ¿qué te pasa?, ¿cómo estás?"
Chico, tienes que cuidarte,
¿cuánto crees que durarás así?,
¿cuánto crees que tu organismo podrá resistir?

UNIDAD 12

LAS COSAS CLARAS

3. Escucha ahora a Belén y compara con lo que tú has imaginado.

De pequeña tenía una habitación amarilla. Había dos camas. Yo dormía en la de la derecha y mi hermano en la de la izquierda. Tenía muchas muñecas en una estantería y un oso muy grande.

EN OTRAS PALABRAS

- Tradiciones navideñas: el día de los Reyes Magos. Muchos países y pueblos han mantenido las tradiciones de Navidad a través del tiempo. Las costumbres navideñas forman parte de nosotros y, por tanto, de nuestra cultura. En España, por ejemplo, el 6 de enero se celebra el día de los Reyes Magos. Los Reyes Magos de Oriente, Melchor, Gaspar y Baltasar, traen regalos y juguetes a los niños en la noche del 5 al 6. Ese día de Reyes trae recuerdos muy entrañables, no solo en España.

- Para mí, el día de los Reyes Magos era muy feliz. Durante todo el año, esperaba con ilusión los juguetes que me traían los Magos de Oriente. A veces no era lo que yo pedía, pero siempre tenía regalos. Recuerdo que siempre dejaba a los Reyes dulces navideños y un poquito de anís, ¡seguro que estaban cansados! y me acostaba pronto. Estaba nerviosa y casi no podía dormir. Por la mañana, me levantaba muy temprano para ver mis regalos. ¡Nunca olvidaré la ilusión que sentía al ver las cajas y los paquetes!

* Aunque en Perú solemos dar los regalos el día de Navidad, en algunas regiones, el 6 de enero se celebra la Bajada de Reyes. Mi familia se reunía todos los años en casa de mis abuelitos y cada uno ayudábamos a guardar las figuritas del Nacimiento. Los niños, de uno en uno, bajábamos las figuras y las guardábamos en una caja. Mi abuelito siempre ponía algunos papeles con premios escondidos debajo de las figuras: golosinas, juguetes, etcétera. Después, comíamos y bailábamos juntos. Era muy divertido.

UNIDAD 13

¿EMPEZAMOS?

Ring, ring...

- Servicio de Información Telefónica 11822. Le atiende la posición 781.
- Información Telefónica, buenos días. ¿En qué puedo ayudarle?
* Buenos días, quería el teléfono del restaurante San Marco, en la calle Betis, en Sevilla.
- Un momento, por favor. Tome nota.
- El teléfono solicitado es: 954 280 310.

LAS COSAS CLARAS

3. Escucha los diálogos. ¿A qué situación corresponde cada uno?

Teléfono fijo

1. • ¡Hola!, ¿está Lola?
   ▪ ¿Lola? No, aquí no hay ninguna Lola.
   • ¡Vaya! Lo siento.
2. Ring, ring, ring...
   • ¿Dónde estarán estos chicos?
3. Tu, tu, tu, tu...

- ¡Siempre ocupado!
4. Ring, ring, ring...
   • ¡Hola!, has llamado al 96 346...
   • Otra vez igual, siempre tengo que hablar con el contestador.
5. ¡Qué raro! Marco y no da ninguna señal, creo que está roto.

Teléfono móvil

1. Pi, pi. ¡Hombre!, un mensaje nuevo, debe de ser mi hermana.
2. Javier, oye, oye, esto se va a cortar, me estoy quedando sin batería.
3. 655 437 439. No está disponible. Deje su mensaje.
4. ORANGE información gratuita. Ha sido imposible establecer la conexión. El teléfono móvil solicitado está apagado o fuera de cobertura.
5. • ¡Oye!, ¿puedo usar tu móvil un momento?
   ▪ Verás, es que no tengo saldo.
   • Pues a ver si recargas pronto, ¿no?

UNIDAD 14

LAS COSAS CLARAS

2. Así comenzaron tres historias de amor. Escucha primero las circunstancias de cada una y relaciona.

A) Raquel y Paco se conocían desde hacía muchos años. Se veían de vez en cuando, en fiestas y cumpleaños de amigos comunes; solo eran amigos. Pero un día, de repente, como en una película de amor...

B) Jaime trabajaba en una compañía de importación de coches y Sayako también, era la traductora de japonés. A Jaime le interesaba mucho Japón y su cultura y, por eso, un día...

C) María trabajaba de camarera en un bar del centro. Klaus estudiaba español en una academia de español para extranjeros, todas las mañanas desayunaba en ese bar y hablaba con María, hasta que un día, por fin, Klaus...

Comprueba con la audición completa.

1. María trabajaba de camarera en un bar del centro. Klaus estudiaba español en una academia de español para extranjeros, todas las mañanas desayunaba en ese bar y hablaba con María, hasta que un día, por fin, Klaus la invitó al cine.

2. Raquel y Paco se conocían desde hacía muchos años. Se veían de vez en cuando, en fiestas y cumpleaños de amigos comunes; solo eran amigos. Pero un día, de repente, como en una película de amor, sintieron que eran más que amigos.

3. Jaime trabajaba en una compañía de importación de coches y Sayako también, era la traductora de japonés. A Jaime le interesaba mucho Japón y su cultura y, por eso, un día se decidió a hablar con ella sobre su país.

UNIDAD 15

¿EMPEZAMOS?

¿Y cómo lo reconocerás?

1. • ¡Hola, Laura!, ¿has llamado ya al chico del intercambio de inglés?
   ▪ Sí, ayer hablé con él. Nos veremos el viernes, delante del Museo de Arte.

2. • ¿Y cómo lo reconocerás si nunca lo has visto?
   ▪ Bueno, me ha dicho que es rubio, alto y con ojos azules. Tiene gafas y lleva un pendiente. Además, ese día llevará un abrigo azul y una bufanda verde.

3. • Mira, parece una cita a ciegas de una película romántica.
   ▪ ¡Qué gracioso, Carlos! A mí no me parece tan divertido.

4. • Bueno, en serio, si Ronald conoce gente interesada en otro intercambio, dímelo. A mí también me gustaría mejorar mi inglés.
   ▪ Sí, en ese caso, le daré tu número de teléfono y una foto tuya, ¿vale?

LAS COSAS CLARAS

1. Estas son las predicciones de un futurólogo para tres historias diferentes, pero no están ordenadas. Escucha los tres casos y señala el orden correcto de los dibujos.

A. –Terminarás tus estudios universitarios y te graduarás con muy buenas notas.
–Llegarás a ser directora de Recursos Humanos de una importante empresa de importación y exportación.
–Viajarás mucho a Hispanoamérica, donde tu empresa tendrá muchas inversiones.

B. –Dejarás tu trabajo como jefa de Pediatría en un hospital de tu ciudad.
–Entrarás en una organización de las que ayuden en países pobres.
–Viajarás al continente africano, donde trabajarás como voluntaria en un centro de salud para niños enfermos.

C. –Estudiarás español y aprobarás el examen oficial con muy buena nota.
–Después de unos años, te casarás con tu profesora de español y vivirás en Madrid.
–Tendrás tres niños muy guapos que hablarán perfectamente inglés y español.

UNIDAD 16

¿EMPEZAMOS?

¿Dónde has estado?

Laura: ¡Cuánto tiempo sin veros!, ¿no?
Sonia: Sí, sí, hace bastante que no venimos por aquí...
Manuel: Es que hemos estado fuera... Este fin de semana hemos ido a Valencia, a las Fallas.
Laura: ¿Ah, sí? ¿Y qué tal?
Sonia: Muy bien. Fenomenal.
Manuel: Nos quedamos en casa de Luis y nos llevó a ver la "cremá" de las Fallas. Impresiona mucho ver cómo arden esas figuras tan grandes.
Sonia: Para mí, hay demasiado ruido. Lo mejor es que también se puede ir a la playa, comer paella..., eso sí me gusta.
Laura: Pues a mí me encantan las Fallas y siempre que puedo voy... Por cierto, ¿sabes que en febrero estuve en Cádiz?
Sonia: ¿En Carnaval?
Laura: Sí, y me lo pasé fenomenal. Todo el mundo se disfraza, es divertidísimo. Hay un montón de gente, y también se puede ir a la playa, pero nosotros no nos bañamos.
Manuel: Oye, ¿por qué no os venís a Sevilla? Estamos pensando en ir a la Feria de Abril.
Laura: Mmmm... Es que... el flamenco no me va mucho... ni sé bailar sevillanas... No sé, podemos pensar algo para este verano. Yo todos los años voy a Buñol, en Valencia también, es genial, lanzar tomates relaja muchísimo.
Manuel: Sí, sí..., yo quiero probar.
Sonia: Yo también, yo también.
Laura: Pues nada, este año todos a Buñol.

LAS COSAS CLARAS

2. Escucha y completa la ficha.

Las fiestas de San Fermín se celebran del 6 al 14 de julio en Pamplona, ciudad situada en la Comunidad de Navarra, desde hace más de 400 años. A pesar del trasfondo religioso que tiene la fiesta, reflejado en procesiones y misas, el acto con más personalidad es el encierro, es decir, la carrera de los jóvenes o mozos pamploneses delante de los toros, a lo largo de unos 800 metros, por las calles de la ciudad, y que dura dos o tres minutos, si todo va bien. Para participar no hay que inscribirse en ningún sitio, solo vestirse de blanco, con un pañuelo rojo en el cuello, y ser muy, muy valiente. Si no quieres jugarte la vida y poner tu vida en peligro, el mejor sitio para ver el encierro es la televisión, sentado en el sillón de tu casa: puedes ver todo el recorrido y, además, ¡es en directo!

UNIDAD 17

¿EMPEZAMOS?

2. ¿Quieres conocer algo más personal sobre Alejandro Sanz? Escucha estos datos de su biografía. Recuerda que en este tipo de textos se usa el pretérito indefinido.

Su nombre completo es Alejandro Sánchez Pizarro y nació en Madrid el 18 de diciembre de 1968. Su primer juguete fue uno de piezas pequeñas para construir castillos. A los siete años, sus padres le regalaron una guitarra.

Cuando Alejandro empezó a ganar dinero, compró un coche de lujo a su padre y montó una peluquería para su madre.

Siente pasión por la lectura -entre sus autores favoritos están Gustavo Adolfo Bécquer, Pablo Neruda y Gabriel García Márquez- y sus ciudades españolas favoritas son Madrid y Sevilla.

Alejandro se casó en el año 2000 con la modelo mexicana Jaydy Mitchel y al año siguiente nació su hija Manuela. Él y su mujer declararon entonces: "Manuela es lo mejor que nos ha pasado en la vida". En 2005, cinco años después, se separaron.

Alejandro Sanz ha conseguido vender más de veintiún millones de discos a lo largo de su carrera y ha superado la marca de "Número 1" en ventas de discos, en manos de Julio Iglesias. Sin duda, Alejandro Sanz es el cantante español no solo de los 90, sino también del siglo XXI.

LAS COSAS CLARAS

5. De dos en dos. Sara cuenta a Pedro lo que escuchó en un programa de radio sobre ese viaje. Compara con tu versión y con la de tu compañero.

Sara: Ayer escuché en la radio una entrevista a Joaquín Cortés sobre su último viaje a Japón.

Pedro: ¿Ah, sí?, ¿y qué contó? A mí me encantaría visitar Japón.

Sara: Bueno, dijo que él ya ha estado muchas veces, pero que esta última ha sido especial porque ha ido invitado por el Instituto Cervantes de Tokio.

Pedro: ¿Y solo estuvo en Tokio?

Sara: No, no, actuó en dos ciudades más. Primero, en Osaka; luego, en Kyoto; y el último lugar, sí, fue Tokio.

Pedro: ¿Pero no hizo nada de turismo?

Sara: Bueno, contó que no tuvo mucho tiempo, aunque pudo visitar algunos templos de Kyoto, donde la gente que lo reconoció se fotografió con él. ¿Sabes? En el tren bala que lo llevó de Kyoto a Tokio concedió una entrevista para la televisión japonesa.

Pedro: Ya veo que no perdió ni un momento, ¿eh?

Sara: Ya conoces la expresión: "El tiempo es oro". Joaquín Cortés contó que, en Tokio, probó el mejor sushi del mundo, ¡ah!, y que volvió a visitar el Palacio Imperial.

Pedro: Ya, no me digas que lo recibió el emperador...

Sara: ¿Tú qué crees?

UNIDAD 18

¿EMPEZAMOS?

2. Escucha y lee estos comentarios de algunas personas después de viajar fuera de sus países. ¿Te ha pasado algo parecido a ti?

1. Ya me lo habían dicho, pero no podía creerlo, ¡en París un café te cuesta 3 o 4 euros, sí, sí, en serio!

2. ¡Menos mal que cuando regresé a Barcelona ya había terminado la huelga de pilotos de Iberia!

3. En nuestro último viaje a Grecia, todavía no habían terminado las obras del nuevo aeropuerto de Atenas, así que tuvimos que despegar desde el antiguo.

LAS COSAS CLARAS

1. Raquel y Paco tienen dos niños pequeños. Escucha cómo pasaban sus vacaciones antes y cómo las pasan ahora. Completa la tabla.

Paco: Bueno, la verdad es que nuestras vacaciones han cambiado mucho en los últimos años. Ahora tenemos dos niños pequeños, Daniel, de cinco años, y Raúl, de tres. Creo que eso lo explica todo, ¿no?

Raquel: Antes viajábamos a menudo al extranjero, sobre todo en verano. Podíamos organizar viajes largos fuera de España, como el de Florida, que duró tres semanas, o el de Australia, en el verano de 2002, que duró un mes entero.

Paco: No teníamos compromisos familiares, así que la duración del viaje no resultaba un problema para nosotros.

Raquel: Ahora, en cambio, si queremos salir, tenemos que contar con la ayuda de mi madre y de Pura. Las dos nos ayudan un montón con los niños.

Paco: Pero mira, las Navidades, por ejemplo. Ahora son más especiales, más emotivas. Con niños pequeños las vives de una manera más familiar, no sé, con más ilusión. A mí antes no me gustaban y ahora, en cambio...

Raquel: Sí, antes eran solo vacaciones. Los niños les dan un sentido más humano, ¿verdad?

Paco: A ver, a ver. Piensa también en los fines de semana. ¿Cómo han cambiado?

Raquel: Pues ahora son mucho más activos, sí, normalmente antes nos quedábamos en casa, leíamos, escuchábamos música y dormíamos unas siestas... ¿Te acuerdas de las siestas, Paco?

Paco: Claro que me acuerdo, ya, ya..., pero olvídate de las siestas, que los peques no duermen. Mira la parte positiva: ahora tenemos más actividad que el resto de la semana: cines, cumpleaños, parques, museos...

Raquel: Sí, sí, más actividad, desde luego, eso está clarísimo.

UNIDAD 19

LAS COSAS CLARAS

2. Escucha la entrevista radiofónica a Juan Álvarez, representante del partido político *Por una Tierra Verde*. Completa el cuestionario.

Entrevistadora: Buenas tardes y bienvenidos a nuestro espacio diario sobre ecología. Hoy nos acompaña Juan Álvarez, representante del partido ecologista *Por una Tierra Verde*. Sr. Álvarez, bienvenido, ¿cree usted que los ciudadanos somos conscientes de que los recursos naturales pueden llegar a agotarse en un futuro no muy lejano?

Juan: Hola, buenas tardes, gracias por invitarme a su programa. Para responder a su pregunta, le voy a poner el ejemplo del petróleo. Durante siglos, el hombre ha explotado este recurso natural y ha llegado casi a agotarlo. ¿Nos preguntamos alguna vez si dentro de 500 años nos quedará petróleo con el actual ritmo de consumo? Yo creo que no somos muy conscientes.

Entrevistadora: ¿Y del problema de la contaminación que provocan estas energías?, ¿qué tiene que decir?

Juan: Verá, esa es otra cuestión fundamental. El humo procedente de la quema de carburantes es un buen ejemplo de peligro real para nuestro medio ambiente. Sería deseable potenciar el desarrollo de las energías renovables, y esto es algo por lo que todos, ciudadanos y políticos, tenemos que preocuparnos.

Entrevistadora: Sí, todos compartimos, además, que uno de los principales problemas ambientales de muchos países, hoy en día, es la energía.

Juan: Por supuesto, por eso es tan importante invertir en el desarrollo de esas energías renovables, tomar medidas concretas. Fíjese, una de las urgencias medioambientales es el cambio climático. Greenpeace, por ejemplo, propone aprovechar el calor del sol para combatir esta realidad que es el cambio climático. La energía solar térmica puede proporcionar grandes cantidades de electricidad en países soleados como España y alcanzar el 5% de toda la demanda eléctrica mundial en menos de 40 años. Estas cuestiones sí son importantes de verdad, todos debemos ser conscientes de ello.

EN OTRAS PALABRAS

Las energías renovables: el futuro del medio ambiente

Debemos apostar por las energías renovables porque son las únicas capaces de evitar el constante y rápido deterioro de nuestro medio ambiente.

En el viento, en el Sol o en la fuerza del agua es posible encontrar los sustitutos adecuados para esas otras fuentes de energía con las que el hombre ha ido contaminando y destruyendo nuestros ecosistemas. Además, muchos de los recursos naturales de los que proceden esas fuentes de energía han sido tan explotados que se han agotado o están a punto de hacerlo.

Por todo ello, todos los gobiernos confían en las energías renovables y esperan que su desarrollo ayude a frenar fenómenos naturales con tantas repercusiones negativas sobre nuestro planeta y nuestras vidas como es, por ejemplo, el cambio climático.

"¡Ojalá los países inviertan cada vez más en energías renovables y se den cuenta de su necesidad!", ha dicho recientemente en Barcelona el portavoz de la organización Greenpeace. Y ese es el camino que debemos seguir.

Queremos una naturaleza no contaminada, queremos que esté limpia, para nosotros y para los futuros habitantes de esta tierra. No queremos que los ríos y los mares aparezcan llenos de basuras y de restos industriales. Esperamos, sin duda, que vosotros, los jóvenes, los españoles y los de todo el mundo, comprendáis la importancia de estas fuentes de energía inagotables y que aprendáis a valorarlas y a usarlas racionalmente.

REPASO 16-19

COMPRENDER

1. ¿Verdadero o falso? Escucha la entrevista que le hacen a Sonia, que ha estado en Argentina de vacaciones, y señala si estas afirmaciones son verdaderas o falsas.

- ¿Es la primera vez que visitas Argentina?
- Sí, y la primera vez que estoy en el hemisferio sur... Ha sido realmente impactante.
- ¿Por qué? ¿Qué es lo que más te ha llamado la atención?
- En primer lugar, el cambio de estación. Aquí es primavera. Y, aparte de eso, lo grande que es Argentina. Nosotros estuvimos diez días, cogimos varios aviones para movernos por el país, y aun así, tengo la sensación de que no vimos casi nada... Espero volver pronto para visitar más sitios.
- ¿Fuiste con un viaje organizado o por tu cuenta?
- Las dos cosas. Estuvimos diez días, como te he dicho antes. Llegamos a Buenos Aires y al día siguiente empezamos un circuito, de norte a sur del país, con un grupo de 20 personas, primero fuimos a Iguazú y después al sur, a la Patagonia, y terminamos en Buenos Aires, donde estuvimos cuatro días, ya por nuestra cuenta. Nos quedamos en un hotel céntrico, muy cerca de la Plaza de Mayo.
- ¿Qué tal en Iguazú?
- Las cataratas son espectaculares, tienen hasta 70 u 80 metros de altura, y hay más de 200 saltos a lo largo de casi tres kilómetros. Luego está la vegetación, exuberante es la palabra: 2000 especies de plantas: árboles gigantes, helechos, lianas, orquídeas; y 400 tipos de aves: loros, colibríes, tucanes... Nosotros hicimos un recorrido por el parque, vimos la Garganta del Diablo, que es el salto más importante...
- ¿Es verdad que se pueden ver muchos arco iris al mismo tiempo?

- Sí, sí, totalmente. La fuerza del agua es tal que al caer provoca una densa nube de vapor y ahí se forman los arco iris.
- ¿Y Buenos Aires?
- Buenos Aires es una ciudad muy activa, con mucha vida, y muy elegante. Heterogénea, con zonas muy europeas y con una gran oferta cultural y comercial. Una noche fuimos al Teatro Colón, a la ópera, y fue maravilloso. Y, ¿cómo no?, también nos apuntamos a un espectáculo de tango en El Viejo Almacén, que es un local muy famoso.
- ¿Se ve claramente la influencia de la inmigración europea?
- Sí y, además, no hay muchos indígenas. Bueno, depende un poco de la zona, supongo. Hay muchos apellidos italianos y alemanes... La gente es muy amable en todas partes. Y la forma de hablar es muy especial: todo el mundo utiliza la forma *vos* en vez de *tú*, y dice, por ejemplo, *Vos tenés un acento que no es de acá*. También hay muchas palabras que son diferentes... ¿Sabes qué es un *colectivo*?
- Mmmm...
- ¿No?, pues un autobús. La piscina es la *pileta*; la falda..., no me acuerdo, pero también había otra palabra.
- ¿También fuisteis a Córdoba...?

UNIDAD 20

LAS COSAS CLARAS

1. Escucha un fragmento del programa radiofónico *Aprende a comunicarte mejor* y completa la tabla:

En nuestros días, es fundamental dominar el arte de la comunicación. Debemos saber lo que se puede y no se puede hacer para intervenir con éxito en una conversación.

En el programa de hoy te enseñaremos cómo no descubrir tus sentimientos y emociones ante tu interlocutor. Tus movimientos hablan por ti. No lo olvides.

- No sonrías exageradamente, puede parecer fingido y poco natural.

- No cambies constantemente de postura, parece que estás cansado, nervioso o aburrido.

- No mires constantemente el reloj. Es síntoma de aburrimiento. Si quieres saber la hora, mira otro reloj disimuladamente, no el tuyo.

- No hables con las manos metidas en los bolsillos. Esto demuestra mala educación o indiferencia.

- No toques o des golpecitos en la espalda o en el hombro a personas que te acaban de presentar. Hay algunas personas que se sienten molestas si les tocan.

UNIDAD 21

LAS COSAS CLARAS

1. Antes de ir a París, las chicas del anuncio imaginaban cómo sería su viaje. Escucha este diálogo y completa.

- Estoy deseando llegar a París, ¿vosotras no?
- Pues claro, *Paris de la France*, ¡qué romántico!
* Bueno, bueno, tú siempre igual con el romanticismo, ¡qué pesada! Vives en las nubes.
- Sí, sí, en las nubes... En París encontraré al chico de mi vida mientras vosotras perdéis el tiempo, como siempre. Entraré en un café y allí estará él, esperándome.
- Ya..., esperando la cuenta para pagar y marcharse.
* Pues yo creo que pasearemos un montón, visitaremos museos magníficos y veremos muchas tiendas, en los Campos Elíseos. Quizás compremos algo, ¿no?
- No, ¡qué va! París es carísimo, miraremos y ya está. Seguro.
* Bueno, tal vez tengamos dinero para comprar algo interesante, ¿no?
- Sí, tal vez compremos un diccionario de francés...
* ¡Qué graciosa!
- Compraremos los típicos recuerdos para la familia y ya está, lo de siempre.
- ¡De verdad! ¡Qué poca imaginación! Quizás subamos a la Torre Eiffeil y allí...
  [Al unísono:] Sí, allí conoceremos al hombre de nuestra vida.

UNIDAD 22

LAS COSAS CLARAS

1. De dos en dos. Escucha esta entrevista a un sociólogo sobre profesiones con futuro. Completa la lista. ¿Qué le recomendarías a tu compañero o compañera?

- Buenas tardes y bienvenidos a nuestro espacio semanal sobre el mundo del trabajo. En la entrevista de hoy, dedicada a las profesiones con futuro, contaremos con Enrique Díaz, sociólogo y director de Recursos Humanos de la empresa de trabajo temporal *Ahora sí*. Don Enrique, para empezar, señale a nuestros oyentes las dos profesiones que, en su opinión, tienen más futuro hoy en día.

- Hola, Julia, buenas tardes, gracias por invitarme a su programa. Le voy a responder a su pregunta de una manera muy directa: el medioambiente y el turismo.
- Medioambiente y turismo, me sorprende su respuesta. ¿Por qué son profesiones con mucho futuro?
- Es evidente que la preocupación por la conservación de la naturaleza, provocada por los efectos adversos del cambio climático, ha disparado la demanda de profesionales del sector medioambiental. Por otro lado, la gestión del tiempo libre y del ocio y, en concreto, del sector turístico, es una puerta siempre abierta para la incorporación de profesionales de diferentes sectores laborales. Los expertos en turismo harán nuestra vida más agradable, incluso si decidimos pasar nuestras vacaciones en el espacio.
- Bueno, lo del espacio aún no está al alcance de todos... Estos últimos días, en los medios de comunica-

ción, han aparecido diversas noticias relacionadas con las graves consecuencias del estrés y la presión laboral sobre los trabajadores. En este sentido, ¿hay alguna profesión con buenas salidas laborales?

- Así es, mi querida Julia: la Psicología. Los psicólogos, además, son una pieza clave a la hora de asesorar a la empresa sobre la persona más adecuada para un determinado puesto. Queridos jóvenes, les recomiendo que no duden a la hora de estudiar Psicología, es una profesión con salida laboral asegurada...

UNIDAD 23

LAS COSAS CLARAS

2. Escucha esta noticia sobre Jennifer López y su antiguo novio y contesta.

- Los celos de Jennifer López y la afición al juego de Ben Affleck dieron al traste con su relación tras una larga crisis. Durante los 18 meses que duró su relación ya habían anulado su boda una vez, justo cinco meses antes de su ruptura definitiva. Al parecer, la actriz se cansó de las salidas nocturnas y juergas de él, y de su falta de interés por la paternidad. Ahora es feliz junto al cantante Marc Anthony.
- Nuestro entrevistador ha salido a la calle. Escucha lo que opina la gente sobre la pareja y completa.

A: Y ahora vamos a ver qué piensa la gente de la calle. Perdone, ¿sabe que Jennifer López y su novio lo han dejado?

B: Sí, sí.

A: ¿Y qué opina?

B: Pues, creo que lo mejor es que hayan terminado..., no hacían buena pareja.

A: Perdona, perdone, ¿qué piensa de la ruptura de Jennifer López y su novio?

C: ¿Jennifer qué? ¿Quién es?

A: Vale, vale, gracias.

A: Oiga, ¿sabe que Jennifer López ha dejado a su novio?

D: ¡Menos mal, ya era hora! Es lógico que lo haya dejado, pues a él le gustan mucho los casinos y a ella parece que no. ¡Es una vergüenza que hayan estado tanto tiempo juntos!

A: Muchas gracias por su opinión. Perdone, ¿y usted está de acuerdo?

E: Es cierto que a él le gusta el juego, pero también es evidente que ella es una persona muy celosa y eso tampoco ayuda. En fin, es normal que hayan cortado, además en el mundo de los artistas es mejor estar soltero y sin compromiso.

D: Oiga, pues yo no estoy de acuerdo con usted, porque, por ejemplo, Jennifer López quiere ser madre y es evidente que quiere tener una pareja estable ¿o no?

F: Y él era la pareja perfecta... Es indudable que la prensa ha hablado demasiado y ha publicado noticias falsas sobre los dos... Es una pena que no hayan podido arreglar sus diferencias.

A: Esto es todo por hoy. Mañana conoceremos la opinión de la gente sobre nuestra querida Penélope Cruz y sus últimos romances. ¡Hasta mañana!

REPASO 20-23

COMPRENDER

1. Escucha esta entrevista realizada a tres personas procedentes de tres países de América Latina: México, Venezuela y Chile.

A: ¿Cómo es la bandera de tu país?

B: Pues es verde, blanca y roja. Tres franjas y, en la central, hay dibujada un águila.

C: La bandera de mi país tiene también tres franjas: en la primera hay un escudo y en la segunda, siete estrellas formando un semicírculo. ¡Ah!, los colores son amarillo, azul y rojo.

D: La del mío es azul, blanca y roja, con una estrella a la izquierda.

A: En tu opinión, ¿quién es un buen representante de tu país?

B: Un ensayista, novelista y poeta, que además fue diplomático durante 20 años. Una de sus obras más famosas es el ensayo *El laberinto de la soledad*, donde reflexiona sobre aspectos de la cultura del país.

C: Aquí nació el autor de la *Gramática de la lengua castellana destinada al uso de los americanos*, publicada en 1847. Uno de los textos más importantes en la historia científica de la lengua española. Además de filólogo, era poeta, humanista y político.

D: El primer Premio Nobel de Literatura en Latinoamérica lo recibió una escritora nacida en este país. Fue en 1945 y era poeta.

UNIDAD 24

¿EMPEZAMOS?

Lee los anuncios breves del periódico y escucha a estas ocho personas.

1. Me llamo Laura, tengo treinta y cinco años y un hijo de siete. Acabo de mudarme a Madrid y estoy buscando piso. Necesito que tenga dos habitaciones y un estudio porque mi marido es abogado y trabaja en casa. ¡Ah! Busco algo que esté céntrico y bien comunicado.

2. Me llamo Rafa y quiero alquilar un estudio o apartamento que no sea muy grande, es para mí solo. Es imprescindible que tenga garaje.

3. Soy Manuel y estoy buscando un local en una zona tranquila para poner una clínica dental.

4. Me llamo Ana y estoy a punto de sacarme el carné de conducir. Busco un coche que sea pequeño y no muy caro.

5. Mi amiga Paz es arquitecta y está buscando trabajo. Quiere volver a trabajar después de un año sabático. Es una persona muy competente y que lleva trabajando muchos años.

6. Mi hermano necesita mejorar su nivel de inglés. Está estudiando Educación Infantil y le gustan mucho los niños.

7. Me llamo Luis. Estoy terminando de decorar mi casa y busco muebles que estén en buen estado.

8. Soy Sara. Tengo un sobrino de siete años y quiero hacerle un regalo.

LAS COSAS CLARAS

2. Escucha esta conversación y completa la tabla.

Laura: Yo paso tanto tiempo delante del ordenador que Internet no me llama nada la atención.

Paz: ¿No? No puede ser, Laura. A mí me encanta navegar, ir de una página a otra... Lo uso para todo... Aunque a veces me pierdo y no sé lo que estaba buscando.

Manuel: Pues yo sigo prefiriendo leer en papel, por ejemplo, el periódico, ¿quién lo puede leer en Internet?

Paz: Nadie. Tienes razón, cansa mucho. La verdad es que yo tampoco leo mucho. Busco más bien información concreta.

Luis: ¿Ah, sí? Pues yo seré un anticuado, pero sigo usando las enciclopedias, las Páginas Amarillas y escuchando la radio, y no quiero saber nada de páginas web.

Paz: Luis, siempre estás igual... Fíjate, yo no tengo ni radio en casa, y no la echo de menos. Prefiero mil veces la tele...

Laura: ¡Qué exagerada eres, Paz! Bueno, yo también veo bastante la tele, quizá demasiado, y... me gusta.

5. Escucha la canción de Radio Futura –un grupo pop español– y comprueba tus respuestas.

Si te vuelvo a ver pintar
un corazón de tiza en la pared
te voy a dar una paliza por haber
escrito mi nombre dentro.

Tú lo has hecho porque ayer yo te invité
cuando ibas con tu amiga de la mano;
se acababan de encender todas las luces,
era tarde y nos reímos los tres.
Luego estuve esperándote en la plaza,
y las horas se marchaban sin saber qué hacer,
cuando al fin te vi venir
yo te llamé por tu nombre,
pero tú no dejaste de correr.

Y si te vuelvo a ver pintar
un corazón de tiza en la pared...

Me parece que aquel día tú empezaste a ser mayor
me pregunto cómo te han convencido a ti.
¿Te dijeron que jugar es un pecado
o es que viste en el cine algún final así?

Y si te vuelvo a ver pintar
un corazón de tiza en la pared
te voy a dar una paliza por haber
escrito mi nombre dentro.

Yo tenía la intención de olvidarlo
y al salir al otro día no pensaba en ti,
pero vi justo en mi puerta dibujado un corazón,

y mi nombre estaba escrito junto al tuyo.

Y si te vuelvo a ver pintar
un corazón de tiza en la pared
te voy a dar una paliza por haber
escrito mi nombre dentro.

Y si te vuelvo a ver pintar
un corazón de tiza en la pared.

UNIDAD 25

LAS COSAS CLARAS

2. Escucha este fragmento del primer capítulo de una serie de televisión dedicada al arte románico y completa esta ficha.

Antes del año 1000 todo el mundo piensa que el fin del mundo está cerca, pero después de este año hay un gran impulso en Europa.

Hay un arte, el Románico, el primer arte de la unidad europea. Se pueden estudiar las manifestaciones culturales y sociales del Románico a través de sus ciudades, la defensa, los castillos y monasterios, la vida espiritual, etcétera.

Los estudiosos del siglo xix dan el nombre de Románico al arte unitario que ven por toda Europa, es un arte que se ha producido en los siglos xii y xiii en los reinos cristianos de entonces, y le dan el nombre de Románico precisamente porque piensan que se parece mucho a la arquitectura que había en Roma. Ven, por ejemplo, que utilizan el arco y la bóveda con gran facilidad.

El Románico es un arte de integración. No solamente recoge lo que viene del río abundante de Roma, sino que es permeable a los distintos pueblos que rodean el Imperio, los pueblos bárbaros por el norte –como los visigodos–, Bizancio y también las influencias árabes, que son notables.

Roma trajo a la Península Ibérica la forma más perfecta de organización humana que se conocía, el Estado, el estado romano con sus instituciones. La principal de todas era el ejército, que era el que garantizaba la ocupación de los distintos pueblos. Pero trajo también el latín, como lengua unificadora, muy moderna. Trajo el Derecho romano y, sobre todo, la obra pública. La obra pública en las ciudades, bien equipadas para sus habitantes, y en las carreteras, puentes y acueductos para dar calidad de vida a los habitantes del Imperio.

Tras la caída de Roma desaparece el Estado, desaparecen las ciudades y la vida se traslada al campo. Las vías de comunicación se debilitan y la gente queda aislada en un ambiente más rural.

Como contrapunto al lujo del Imperio romano, la religión católica defiende el sufrimiento y el sacrificio. Los cristianos están preparados para toda clase de sacrificios porque piensan que ya está próximo el fin del mundo con la llegada del año 1000.

Los visigodos se implantan en España tras la caída del Imperio romano. Es un pueblo que procede de la Bretaña francesa...

UNIDAD 26

¿EMPEZAMOS?

En la cola del cine...

Marisa: Perdona, ¿tienes hora?

Raquel: Sí, son las seis y diez.

Marisa: ¡Qué tarde! ¡Siempre igual! A mí me gusta mucho venir al cine, pero siempre que quedo con mi novio llega tarde... ¡Ahí viene!

Javi: ¡Perdona, perdona...! ¡Es que el metro ha tardado siglos! Si tuviera coche, llegaría antes a los sitios..., estoy seguro.

Marisa: Vale, vale, me lo imaginaba... Sabes que me molesta que llegues tarde, no me gusta nada tener que esperar... Venga, ¿cuál vemos?

Javi: Pues, no sé. La de Santiago Segura tiene que estar bien, ¿no? Me gustan todas sus *pelis*...

Marisa: ¿La de *Borjamari y Pocholo*? Pues, a mí no me gusta mucho ese humor negro, a veces no me hace ninguna gracia...

Javi: Venga, vale. ¿Vemos *Di que sí*?

Marisa: ¿*Di que sí*? ¿De qué va? Yo no he oído nada...

Javi: Yo tampoco, pero los actores son buenos...

Marisa: ¡¡Claro, sobre todo Paz Vega!!... A mí me gustaría ver *Mar adentro*, todo el mundo dice que está genial, pero...

Javi: ... no es el momento.

Taquillero: ¡Hola! ¡Buenas tardes!

Marisa: Dos para... no sé... ¿para el documental sobre el Che Guevara?

Javi: Venga, vale... Dos entradas para *Diarios de motocicleta*, para la sesión de las seis y media.

EN OTRAS PALABRAS

2. Ahora escucha esta entrevista a la directora de la película y contesta.

• ¿Por qué decidiste contar esta historia?

■ Después de *Flores de otro mundo* donde había tres parejas protagonistas, quería hacer una película más concentrada, menos coral, y quizá por ello, más intensa. Hacía tiempo que la coguionista Alicia Luna y yo le dábamos vueltas al tema de la violencia en la pareja y veíamos que, aunque es una constante en los medios de comunicación, había muchas preguntas que no sabíamos contestar. Los periódicos hablan del tema, pero casi siempre cuentan lo mismo, el peor final, cuando ella ha muerto y él se ha entregado. Nosotras pensamos que nos gustaría averiguar qué pasa en medio, entre un momento y otro, y hablar de uno de esos hombres que levantan la voz y la mano.

• ¿Cuál es el origen de *Te doy mis ojos*? ¿Dónde y cómo nació?

■ Antes, Alicia y yo habíamos hecho un falso documental, titulado *Amores que matan*, un cortometraje narrado desde un punto de vista distinto, el del maltratador. Lo escribimos con miedo. No era para menos. Cuando fuimos a ver a una conocida socióloga, directora de una casa de acogida para mujeres, y le dijimos que nuestro protagonista era él, casi nos echa a patadas de allí.

• ¿Cómo explicarías esta reacción?

■ Mira, tal y como se habla del tema en los medios de comunicación, hacerle a él protagonista no era lo más políticamente correcto. Pero no podíamos dejar de preguntarnos precisamente eso: ¿por qué no se habla de ellos?, ¿quiénes son estos hombres?, ¿por qué hacen tanto daño? Y si son ellos quienes agreden, ¿por qué son ellas las que tienen que huir de sus casas, esconderse y ser tratadas psicológicamente?

• ¿Cómo preparasteis el guion?

■ Empezamos a leer artículos, libros, a hablar con especialistas, y descubrimos que documentarse sobre este tema era descolocarse por completo. Un día le decía a mi compañera: "Alicia, según lo que dice este libro ¡soy una maltratadora!". Alicia asentía: "Creo que yo también". Otra lectura distinta y terminábamos las dos convencidas de que las maltratadas éramos nosotras. La mejor ayuda para entender de qué estábamos hablando nos la facilitó una asociación de Toledo, que nos abrió sus puertas y nos dejó sentarnos entre un grupo de 14 o 15 mujeres que se reunían en terapia.

• ¿Y por qué elegisteis Toledo como escenario?

■ A fuerza de visitar Toledo, se nos ocurrió que la historia podría pasar allí, entre sus murallas, a la orilla de ese Tajo tan espectacular, tan dramático. Una historia oscura, tremenda, en un marco incomparable. Era un buen contraste. Y pusimos a nuestro personaje, a Pilar, a caminar por esas callejuelas, esas juderías mágicas, pero también sobrecogedoras y un tanto opresivas. Y de repente, Toledo contaba mejor que cualquier diálogo todo ese peso histórico, de tradición, de cultura que tenemos todos detrás; el papel del hombre, el de la mujer.

UNIDAD 27

¿EMPEZAMOS?

1. Beatriz: ¡Hola! ¡Buenos días! ¿Eres Daniel?

Daniel: Sí, soy yo.

Beatriz: ¡Hola! Soy Bea. ¿Está Sebastián por ahí?

Daniel: No, no ha llegado todavía.

Beatriz: Vaya... Es que tenemos una reunión a las 9.30 en su oficina, pero estoy en el médico y llegaré sobre las 10. ¿Puedes decírselo de mi parte?

Daniel: Sí, voy a intentarlo en el móvil. Hasta luego...

2. Daniel: Sebastián, llamó Beatriz a las 9. Dijo que teníais una reunión a las 9.30, pero que llegaría sobre las 10, el caso es que ya son las 10.30... Dijo que estaba en el médico...

Sebastián: Vale, gracias. No te preocupes...

3. Beatriz: Mario, ¿vienes esta noche a cenar a casa?

Mario: Vale, no tengo planes...

Beatriz: Tenemos setas... Tú, que eres tan buen cocinero, ¿sabes alguna receta fácil? Me ha preguntado Óscar si yo sabía alguna, pero no tengo ni idea..., soy un desastre en la cocina...

Mario: A ver, déjame pensar... ¡Ah, sí! Hice el otro

día una que vi en el periódico..., vamos a ver si me acuerdo. Necesitas un vaso de...

Beatriz: Espera, espera, que lo voy a apuntar...

Mario: Yo puedo hacerla, si quieres..., voy un poco antes y ya está. Tú, compra vino de Oporto, queso de Cabrales y... nata líquida. Supongo que ajo, sal y pimienta tienes, ¿no?

Beatriz: Sí, sí... Vale, genial. Llamo ahora mismo a Óscar y se lo digo...

4. **Beatriz:** Óscar, soy Beatriz, ya tengo la receta de las setas. Al final, Mario viene a cenar... y la hace él. Me ha pedido que compres vino de Oporto, nata líquida y queso de Cabrales. El resto, lo tenemos. ¡Hasta luego!

5. **Julia:** ¿Está Mario?

Diego: No, ha salido un momento.

Julia: ¿Han aprobado el presupuesto?

Diego: Pues, no lo sé. Podemos buscar en esta carpeta... Mira, aquí están los impresos..., pero no, no están rellenos... Llévatelos si quieres y ven dentro de media hora, que ya habrá vuelto Mario.

LAS COSAS CLARAS

4. Escucha los mensajes del contestador de Clara. Señala en el calendario cuándo (día y hora) ha recibido cada uno, y el nombre de la persona y de la empresa que ha llamado.

- El servicio contestador automático le informa de que tiene cinco mensajes: Mensaje número 1. Recibido el día 2, a las 20 horas 35 minutos:
- ¡Hola Clara! Soy Vanesa, ya veo que no estás en casa y el móvil está desconectado... Era para decirte que el sábado es el cumpleaños de Coque y vamos a cenar todos en su casa. Llámame para decirme si puedes venir. Un beso.
- Mensaje número 2. Recibido el día 3, a las 10 horas 5 minutos:
- Este es un mensaje para Clara. Soy Almudena, de Iberia Viajes. Ya tienes confirmado el vuelo a Dublín. Puedes pasarte la semana que viene a recoger los billetes, ¡ah! y que no se te olvide el resguardo que te di cuando hicimos la reserva.
- Mensaje número 3. Recibido el día 3, a las 11 horas 50 minutos:
- Buenos días, este es un mensaje para Clara Cifuentes. Le llamamos de la librería Gamero. Esta mañana ha llegado el libro que encargó. Ya sabe que lo tiene reservado dos semanas, hasta el día 17. Hasta luego.
- Mensaje número 4. Recibido el día 3, a las 16 horas 10 minutos:
- Buenas tardes, soy Joaquín de la empresa Todo Reformas. Les llamo para avisarles de que el lunes 14, a las 9 de la mañana, vamos a ir a pintarles el techo del cuarto de baño. Les dejo nuestro número de teléfono para que nos confirmen que va a haber alguien en casa ese día. Es el 956 57 34 20.
- Mensaje número 5. Recibido el día 4, a las 9 horas 20 minutos:
- Este mensaje es para Clara Cifuentes. Le llamo de la revista MAX. Hemos recibido su currículum y nos gustaría

mantener una entrevista con usted la próxima semana. Llámenos para concretar día y hora. Nuestro número es el 949 34 78 20. Pregunte por Mariam Seco.

REPASO 24-27

COMPRENDER

Escucha esta entrevista con Esther Muñoz, profesora argentina de la Universidad Nacional Mayor de San Marcos (una de las más antiguas de América, fundada en Lima, en 1551), y especialista en el escritor Mario Vargas Llosa.

- ¿Quién es para usted Mario Vargas Llosa?
- En mi opinión, y aunque casi sea un tópico, es uno de los más grandes novelistas hispanoamericanos de la segunda mitad del siglo XX, junto a Julio Cortázar, Carlos Fuentes y Gabriel García Márquez.
- ¿Cuál es el reflejo del reconocimiento internacional?
- En primer lugar, sus obras han sido traducidas a muchísimas lenguas y ha ganado los mayores premios literarios internacionales, entre ellos el Premio Biblioteca Breve y el Premio Cervantes en 1994. Y un año después fue elegido académico de la Real Academia Española.
- Desde el punto de vista técnico, ¿cuáles son las características de sus obras?
- Vargas Llosa es un innovador vanguardista. Utiliza recursos originales y las técnicas más novedosas de la novela contemporánea, por ejemplo, introduce varios narradores, mezcla varias historias o líneas argumentales, superpone planos espacio-temporales, incorpora el monólogo interior...
- ¿Qué temas trata en sus novelas?
- En general, sus obras reflejan la sociedad peruana, con todos sus conflictos de tipo racial, sexual, moral y político. Por ejemplo, la acción de su primera novela, *La ciudad y los perros,* transcurre en un colegio militar en Lima, un ambiente cerrado que resume la corrupción y la violencia del mundo actual. En dos de sus novelas posteriores, la objetividad con que refleja la sociedad peruana deja paso a una línea argumental más lúdica y humorística. Estas novelas son *Pantaleón y las visitadoras,* en la que un capitán del ejército debe organizar un servicio de prostitutas para los militares que están en la selva. Y la otra, *La tía Julia y el escribidor,* donde narra episodios de su primer matrimonio y sus comienzos literarios.
- ¿El estilo de estas novelas está menos cuidado que el de las novelas más "serias"?
- Sin lugar a dudas, no. Técnicamente son igual de complejas que el resto..., solo que los temas son más... Más ligeros.
- Personalmente, qué prefiere ¿las novelas más serias o estas más divertidas?
- Tengo que reconocer que, cuando empecé a leer *Pantaleón*, no me gustó mucho el argumento, me pareció de mal gusto. Me molestó que mezclara el tema de la prostitución con los militares. Después de 20 páginas, cambié de opinión. Me gustaría que la gente leyera esta novela... ¡Es tan divertida!